50 recettes
pour rester canon

**Déjà parus dans la collection mon grain de sel
dirigée par Raphaële Vidaling**

Des mêmes auteurs :

· Petits plats gourmands pour mamans au bord de la crise de nerfs

Et par ailleurs :

· Le livre de cuisine pour les garçons qui veulent épater les filles

· Le livre de cuisine pour les filles qui n'ont pas appris grand-chose avec leur mère

· Goûte ça et épouse-moi

· Petit livre de recettes régressives pour les grands qui ont gardé une âme d'enfant

· La cuisine des fées ou comment faire des merveilles sans être magicienne

· Pour en finir avec la cuisine de mémé

· J-F suédoise ayant fait le tour du monde cherche cobayes
  pour goûter ses inventions (non curieux s'abstenir)

· Le grain de sel de Raphaële, un livre de cuisine avec à lire et à manger

· Au secours ! on va être 8 à dîner et je ne sais pas trop cuisiner

· Éloge de la petite touche perso ou comment bricoler en « faits maison »
  des plats déjà cuisinés

· Comment oublier son ex d'un bon coup de fourchette

Conception graphique : Claire Guigal
Mise en pages : Raphaële Vidaling
Réalisation Photogravure : Frédéric Bar
Fabrication : Céline Roche

© Tana éditions
ISBN : 2-84567-328-0
Dépôt légal : Mai 2006
Imprimé en Espagne
contact : raphaele.vidaling@laposte.net

50 recettes
pour rester canon

petits plats légers
pour
grandes
gourmandes

Textes : Aimée Langrée et Stéphanie de Turckheim
Photographies : Raphaële Vidaling

Tana
éditions

Sommaire

Petits plats complets sans viande

Desserts et douceurs

Introduction

RÉGIME [rezim] n. m. — 1640 ; mot des Antilles, p.-ê. esp *racimo*, d'après régime I.
● Ensemble de fruits de certaines plantes réunis en grappe volumineuse. *Régime de bananes, de dattes.*

Petit Robert

Ah bon, c'est tout ?

Que celle qui n'a jamais rêvé d'avoir une silhouette de pin-up nous jette la première chouquette ! Et que celle qui n'a jamais rêvé d'en finir avec les régimes la suive. Ce livre s'adresse à toutes celles qui, comme nous, veulent rester minces en se régalant. Qui refusent la monotonie d'une vie entière faite de privations utopiques. Décidez que vous êtes magicienne de la cuisine légère, appétissante et sexy et vous le serez : légère, appétissante et sexy !

Ré-gi-me. Rien que le mot, on se sent déjà comme un petit soldat qui va devoir affronter une discipline d'enfer, une stratégie épuisante, une sorte de long tunnel avec zéro vie sociale. Sans parler des repas tristes ou fades, des plaisirs évaporés et de la faim qui vous tenaille. Euh… Ça vous tente vraiment ?

Une question s'est imposée à nous : pourquoi toutes les bonnes choses sont-elles interdites ? Pourquoi doit-on adopter un style de vie qui commence par une négation aussi radicale ? Nous sommes trop réalistes pour ignorer que les privations tous azimuts brident la bonne humeur. Nous voulons TOUT : le plaisir, la transgression, la douceur, la convivialité… Et la beauté.

Ce corps, à qui l'on impose tant de diktats, c'est le nôtre. Et, comme le disent si bien certaines pubs, 98 % des femmes de la planète ont un corps NORMAL. Oui, bien sûr, il reste les 2 % de top models aux proportions presque effrayantes, mais nos petites courbes et nos imperfections sont ce que la nature a distribué le plus généreusement.

Le vrai problème, s'il y en a un, est de trouver son corps juste. Celui où l'on est soi-même et que l'on garde pour toujours. Ni trop, ni pas assez…

C'est sûr qu'il faut peut-être changer certaines choses dans nos vies. **Nous en sommes convaincues : il faut** *rajouter,* **plutôt qu'***enlever* **des éléments.** Réapprendre le plaisir de manger de tout et se réapproprier un équilibre très dynamique. Un mode de vie, une façon de « penser » la nourriture qui allie plaisir et respect de soi. Rester canon — et mince — est un art de vivre qui appartient à chacune d'entre nous. Nous avons simplement essayé de vous donner notre ligne de conduite : sortir de l'engrenage obsessionnel des règles spartiates ou partir de ce que l'on est, plutôt que d'aller vers ce que l'on n'est pas du tout !

Cuisiner, c'est une passion. Être libre, un must absolu.
Nous pensons qu'il faut se donner un point de départ réaliste : un corps sain, avec ses petits défauts, mais aussi de grands avantages :

· la séduction,
· l'amour,
· les plaisirs de la table,
· la maternité,
· le mouvement,
· la beauté,
· la forme,
· le bonheur.

L'idée de base, c'est que les régimes, on n'y pense même plus. On décide d'être créative, maligne. On ruse avec les interdits. On se fie à son fameux vieux jean si c'est celui qui vous va, avec son sympathique petit 38/40 (ou autre)… « *Who cares ?* » L'important, c'est de se sentir belle… Avec quelques règles d'or. On opte pour une alimentation déstressée, déculpabilisante et délicieuse. **Mieux : on apprend à se traiter comme une princesse, à trouver la star qui est en nous.**

Les recettes proposées ici sont toutes pensées pour marier légèreté et saveur. Elles ont été étudiées pour nos poignées d'amour et testées sur elles. Elles sont gaies, faciles. Elles ne vous feront pas MAIGRIR, mais elles seront vos alliées pour rester à ce poids magique qui est vraiment VOUS et que vous seule connaissez. (Petite parenthèse : aucun aliment à lui tout seul ne peut se vanter de faire maigrir ou grossir, d'ailleurs… C'est un tout, qui s'inscrit dans un contexte global, comme dirait le philosophe.) Adieu donc les idées reçues et les violences faites à votre petite personne. Soyez votre meilleure amie, traitez-vous avec gourmandise. Détournez les pièges de la gastronomie avec un peu d'astuce et d'ingéniosité.

Nous avons mis la barre très haut en ce qui concerne les textures, les couleurs, les goûts. Il fallait absolument éviter le superflu, sucre ou gras, sans tomber dans la déprime du « basses calories » de base, tel que le pratiquent encore de pauvres créatures mal informées (qu'elles nous pardonnent)… Être mince, oui, c'est une vraie satisfaction narcissique. Quelle femme peut prétendre qu'elle se sentait mieux avec les 6/8 kilos post-grossesse qu'après les avoir perdus ? Croyez-nous, il y a du vécu dans tout ça.

Encore une fois, ceci n'est pas un livre de régime. Nous ne sommes pas des médecins ni des nutritionnistes. Nous sommes des gourmandes, nous sommes des femmes. C'est déjà un bon début. Des régimes, à nous deux, nous avons bien dû en faire des centaines. Quant aux kilos, on doit en être à 250 kilos de perte sèche à nous deux. Et de retrouvailles garanties avec les mêmes kilos… Mais un jour, nous avons décidé de passer à autre chose.

Les clefs du succès

· Ne faites pas de régime.

· Mangez à heures régulières.

· Passez au brun : riz, pain, sucre, etc.

· Faites la guerre à la culpabilité.

· Il n'y a pas de bonne fée. Il y a vous. Fiez-vous à votre instinct.

· Apprenez à faire le marché plusieurs fois par semaine et évitez les hypermarchés.

· Le chocolat ? Oui, mais devenez une spécialiste en la matière.

· Faites un rapide état des lieux avant de changer vos habitudes pour de bon.

· N'écoutez pas les promesses de régime des autres, mais tenez les vôtres.

· Le « à volonté » est souvent une fausse bonne idée.

· Ne stockez rien de superflu. Vous ne vivez pas dans un abri antiatomique.

· Mettez du piment et de la moutarde forte partout.

· Augmentez de trois verres par jour votre consommation d'eau. Buvez par petites gorgées et oubliez le truc de la grande Volvic cul sec pour se couper l'appétit.

· Mangez des produits de saison.

· Identifiez vos points faibles et faites-en des atouts.

· Sachez qu'il n'y a que les « vrais gros » qui sautent le petit déjeuner.

· Prévoyez ce que vous allez manger. Pas trop d'improvisation.

· Étonnez-vous. Essayez chaque semaine quelque chose de nouveau.

· Oubliez les produits prétendument *light* ainsi que les « machines à mincir ».

· Ralentissez les laitages, sauf les fromages de chèvre ou de brebis et les yaourts.

· Ne pensez jamais que des pilules remplaceront des aliments frais.

· Buvez du bon vin rouge et du champagne avec modération et délectation.

· Mettez des choses entières dans votre assiette. Découpez, croquez, mâchez.

· Ne soyez pas victime de l'alimentation. Faites des choix. Ça change tout.

· Traitez votre corps comme un trésor : ne lui donnez pas n'importe quoi.

Témoignage

Moi, mon alimentation et mon image ou l'histoire d'une relation à trois, jouée sur le mode « Je t'aime, moi non plus ». Aimée raconte.

Bébé, j'étais une boule. J'avais bon appétit. Enfant, si maigre que les maîtresses n'osaient pas me prendre par le poignet de peur qu'il ne casse, j'avais bon appétit… Adolescente… Ah ! Adolescente, le vent a tourné. J'ai pris conscience que j'avais une image. Nécessaire, mais conflictuel : j'avais toujours bon appétit. Les délices de l'enfance, les tartines insouciantes étaient devenues objets de transgression. C'était l'âge des paquets de biscuits engloutis en deux minutes, des régimes expérimentaux. L'âge des premiers sachets minceur et des gels anti-gras au nom ronflant que j'achetais comme d'autres achètent des cigarettes de contrebande.

Puis la vraie vie a commencé. Les choses ne sont pas devenues plus simples pour autant. Mon alimentation était basée sur le principe de la négociation avec moi-même : un soir, j'avais le droit de manger parce que le lendemain, en théorie, je me serrerais la ceinture. Les bonnes résolutions, c'était toujours pour le lundi. Bien, le lundi, net, carré, prometteur ! J'avais encore bel appétit : appétit de vie, tout simplement. Pour une gourmande, c'était difficile d'être raisonnable, de ne pas inviter dix copains pour leur faire découvrir ma cuisine, de ne pas revenir de voyage avec des spécialités locales à déguster. Mon corps était un corps à géométrie variable. Ma garde-robe aussi.

Autre réalité, soudain : premier bébé. Le bonheur + 20 kilos. Jolie maman !
Deuxième bébé… Le bonheur + 30 kilos. Ah oui, quand même… Le problème,
c'est que le petit chéri ne pesait « que » 4 kilos, donc il m'en restait… Euh… Je
peux le dire : j'ai testé une année entière à me sentir vraiment grosse. Moi qui me
plaignais parfois des peintres en bâtiment qui vous sifflent avec insistance dans nos
pays latins, j'ai testé la période où ces mêmes peintres en salopette blanche et
autres petits machos sympathiques vous fichent une paix royale. Plus de souci
d'image, c'est sûr ! Lourde, ignorée, hors-jeu, c'était d'une tristesse sans nom.
Un jour, je me suis réveillée et j'ai fait très fort. En six mois de goulag absolu, les
kilos ont fondu. J'AI MAIGRI ! Le succès suprême, l'Annapurna, le Nirvâna, le
Whalhalla. C'était spectaculaire. J'étais devenue une sorte d'ayatollah de la mai-
greur. Au prix d'un monde sans sucre, sans farine, sans fromage, sans plaisir, sans
gaieté. Intenable.

En parlant avec Stéphanie, je me suis aperçue que son histoire ressemblait
étrangement à la mienne. À celle de tant d'autres aussi. Nous étions perdues
et nous n'en pouvions plus. Ras-le-bol des régimes et des gourous. Que
faire ? Nous avons décidé de tout remettre à plat, de repenser le tout,
depuis le début. À notre façon. Nous avons cherché des pistes, des voix
qui nous convenaient. Nous en avons trouvé et
nous avons eu envie d'écrire ce livre.

Le mot d'ordre était simplement de se
sentir bien. De faire la paix avec tout
cela.
D'être libre.
De s'amuser.
Et ça a marché.

(J'ai toujours bon appétit.)

RÉGIME [rezim] n. m. — 1408 ; *regisme* « royaume », 1190 ; lat. *regimen* « action de diriger ». Voir **Régir.** ● 1. Façon d'administrer, de gouverner une communauté. — Par ext. organisation politique sociale économique d'un État. Voir **Système.** ● 2. (XVᵉ) Ensemble de dispositions légales qui organisent une institution. Régime fiscal, douanier, pénitentiaire. Voir **Règlementation.** ● 3. (1438) Conduite à suivre en matière d'hygiène, de nourriture. *Imposer, ordonner un régime à un malade. Le régime d'un sportif.* — Par ext. *Un régime de vie. À ce régime, il ne tiendra pas longtemps.* (XVᵉ) Plus cour. Alimentation raisonnée. *Régime alimentaire diététique.* Voir **Diète.** *Se mettre, être au régime. Faire un régime pour maigrir. Un régime sévère, strict. Régime sans sel. Régime végétarien. Régime amaigrissant. Régime hypocalorique.* Voir **Diététique.** *Régime sec,* proscrivant les boissons alcoolisées. ● 4. Phys. a. Manière dont se produisent certains mouvements. *Régime d'écoulement d'un fluide.* Voir **Laminaire, Turbulent.** b. Marche. *Régime normal, ralenti, accéléré.* Voir **Surrégime.**

Petit Robert

Mince et bien dans ses baskets…
oui, mais pas à n'importe quel prix

Agissez ! Mangez ! Pour rester mince, donnez à votre cerveau limbique (le plus primitif) le message que la vie est faite de satisfaction immédiate, et il ne se sentira plus agressé ou frustré. L'idée, c'est aussi, bien sûr, qu'en actionnant la notion de plaisir autorisé, on enraye le cercle vicieux des régimes yo-yo et des prouesses folles. On est dans la vraie vie, pas dans un *no man's land* où demain est toujours mieux. (« C'est promis, je m'y mets lundi », ça vous rappelle des choses, non ?) Pour écrire ce livre, nous sommes parties du principe que maigrir, c'est déjà fait. Ou que vous êtes pile-poil dans cette phase ô combien délicate, maintes fois décrite dans les ouvrages spécialisés, dite de « stabilisation », censée durer en général entre six mois et deux ans. Autant vous dire qu'il faut être patiente et se donner toutes les chances de réussir !

Perdre du poids très rapidement, c'est un peu comme tomber amoureux : c'est facile, c'est grisant. Après, c'est une autre histoire : il faut apprivoiser l'autre, tricoter une relation, un lien durable… Et c'est là que ça se complique. Bien sûr, nous avons quelques trucs et astuces en cas d'urgence, histoire de rappeler à votre corps les bonnes manières. Et après ? Et les écarts ? Les vacances, les invitations ? Notre philosophie est tellement simple que vous saurez répondre à tout cela toute seule… Soyons franches : être mince pendant longtemps, c'est beaucoup plus que manger moins. C'est changer sa façon de vivre. Rien que ça ! Autant que ce soit un changement positif, jubilatoire, réaliste, puisqu'il est là pour durer.

Ce livre, nous l'avons écrit avec notre expérience de gourmandes et nos rondeurs domptées. Les recettes nous ont permis de rester à flot, de nous frayer un chemin sympathique sur la route de « je suis mince et je n'y pense plus ». Nous l'avons testé sur une année sans nous peser, en faisant confiance à nos sensations, à notre vieux jean. C'était une attitude et non une contrainte. Nous avons suivi trois règles d'or et nous nous sommes fait plaisir.

RÉGIME [comme ça se prononce] – masculin, singulier, répétitif. Mot d'origine barbare • 1. Pratique pénible que l'on s'impose pour expier un péché de gourmandise. Voir **Ère de pénitence**. *Je dois me mettre au régime.* • 2. Torture, du latin *tortura*, « tordre ». Souffrance physique intolérable. *J'ai vraiment trop faim à cause de ce régime.* • 3. Impression de vide, de lassitude causée par le désœuvrement, par une occupation monotone et dépourvue d'intérêt. Voir **Ennui**. *Le régime « mousse de concombre et fenouil bouilli » m'ennuie.* • 4. Coutume démodée que l'on pratique généralement à l'approche de l'été, apparentée au sacrifice rituel de la femme dans la société contemporaine (*cf.* usages corporels du XXe siècle en Occident), période immanquablement suivie d'une rechute spectaculaire. • 5. Terme subissant actuellement une mutation génétique et linguistique lui conférant un sens plus souple, plus clément. *Je suis tellement tranquille, on dirait que je ne suis pas au régime !* Populaire : *Mon régime, tu sais ce que je lui dis ?*

Nos 3 règles en or massif

1. Mangez uniquement ce qu'il y a de meilleur.
2. Mangez ce qu'il y a de meilleur en petites quantités.
3. Mangez ce qu'il y a de meilleur uniquement pendant les repas.

1. Soyez exigeante, vous méritez ce qu'il y a de mieux.

Fixez-vous un impératif : ne manger que ce qu'il y a de plus frais, de plus authentique et de plus délicieux possible. Tout ce que la nature et la vie en général offrent d'excellent. Soyez à l'affût de la qualité. Certaines personnes mal informées croient dur comme fer qu'il faut s'éloigner des plaisirs de la table pour ne plus y penser. C'est triste et c'est faux. Si vous avez tendance à vouloir perdre du poids, eh bien, c'est que vous en avez pris, non ? Donc que vous aimez manger. Comme nous, vous aimez tout ce qui tourne autour de l'alimentation : les courses, les produits, les recettes, les goûts, les petits dîners, etc. Franchement, pourquoi changer ? À partir d'aujourd'hui, traitez-vous avec le plus grand soin, devenez une « snob » de la nourriture. Meilleur ne veut pas dire cher, on est d'accord. Nous parlons de qualité. Rien n'est trop bon pour vous, même dans les choses simples. C'est là que vous approcherez le sublime. Regardez les ingrédients, l'allure de ce qui vous tente, et réfléchissez à deux fois. Choisissez toujours ce que vous pouvez identifier. Devenez adeptes du *slow food,* créé par Carlo Petrini en 1986 : une lutte gastronomique contre la fadeur, l'uniformité et le formatage de l'industrie agroalimentaire. La nourriture n'est pas votre ennemie. Elle est votre meilleur produit de beauté.

2. Les petites quantités.

Oubliez votre bonne éducation : vous avez été élevée avec l'éternel « Finis ton assiette ! » et cette petite voix tinte encore à vos oreilles. « Les petits Chinois meurent de faim et ils seraient contents, eux, d'avoir un si bon dîner ! » Aujourd'hui, la Chine est en pleine explosion capitaliste et elle risque bien de nous dévorer ! Laissez donc un tiers de votre assiette à la postérité. C'est votre choix : mangez de petites portions, arrêtez-vous avant d'avoir tout englouti. Mangez lentement. D'une façon générale, choisissez une mesure étalon qui sera la vôtre dorénavant : une assiette (et une seule) pour une portion. Un petit bol (chinois par exemple) pour les plats qu'on peut partager en portions et dont on a trop souvent envie de se resservir. Et puis c'est tout. *Basta cosi.* Plus rien d'autre. *Niet. Nada.* Fin du débat.

3. Ne mangez qu'aux heures des repas.

Voilà notre dernier secret, notre truc infaillible et sur lequel il ne faut pas transiger. Cela signifie, comme dirait monsieur de La Palisse, que vous allez renoncer une fois pour toutes au grignotage et autres collations, goûters, et snacks entre les repas. Voilà, c'est dit et nous ne reviendrons pas là-dessus. Tout d'abord, grignoter n'est pas élégant du tout. Qui imaginerait l'une de ces créatures de rêve à la minceur de bon aloi, type Greta Garbo ou Sophia Loren, se gaver en douce de chips lardon-chorizo ? Ou Ellen Mac Artur et Rania de Jordanie s'affaler devant la télé avec un paquet de Crunchos Munchos Jumbo Size ? Elles ont tellement mieux à faire ! Vous aussi. Décider définitivement que le grignotage n'est pas gracieux, voire ringard, va grandement vous faciliter la vie. Ne pas s'autoriser un biscuit entre les repas vous évitera de vous enfiler les vingt-cinq biscuits du paquet par faiblesse. Vous aurez l'énorme satisfaction de pouvoir concentrer tous vos plaisirs sur les trois repas quotidiens. Et ça, c'est une vraie bonne nouvelle.

Consommer, manger, grossir et autres tracas

En vrac, nous avons identifié quelques faux amis qui ne vous veulent pas de bien. La liste de ces pièges sournois à éviter est, bien entendu, non exhaustive.

Frites de fast-food ou de grande distribution : c'est de la calorie vide, de la nutrition très pauvre et un piège à gras. Essayez de vous sentir au-dessus de tout ça, et vous verrez que très vite vous serez débarrassée d'un problème dans la vie.

Biscuits sucrés et bouchées apéritives : à la base, ils sont faits principalement de gras et de sucre. Arrêtez donc d'en acheter et vous ne remarquerez même pas qu'ils sont sortis de votre vie. Comme certaines personnes, non ?

Desserts glacés en tout genre : on oublie le rayon glaces de chez Picard surgelés et on révise sa copie concernant les desserts (goût cappuccino-strudel-chantilly-kirsch) du bistrot au coin de la rue. Soyez tendance, pure, ayez l'allure de la femme subtile qui ne prend que des sorbets… Parce que c'est tout simplement MEILLEUR et que les couleurs acidulées sont jolies comme la palette de Matisse.

Toute denrée qui se vend par paquets de douze ou de vingt-quatre. Pourquoi diable auriez-vous besoin de vingt-quatre exemplaires de quoi que ce soit ? Des piles, passe encore. Des bouteilles de champagne achetées chez un petit producteur lors d'un passage à Épernay… Bon. *Idem* pour les portions « jumbo size ». Vous n'êtes pas des étudiants fauchés en manque de carburant calorique pas cher.

Les aliments au nom idiot ou au conditionnement gadget. Vous éviterez ainsi les fleurons de l'industrie agroalimentaire type « Yogloups », « Chocalinours » « Crocqgourmandos parfum tartiflette ». Ainsi que les plats prétentieux ou ringards des restaurants, style sauce Grand Veneur ou cuisse de lapin à l'Impérial… Mieux vaut de vrais noms d'adultes ou une poésie qui vous séduit.

Avant, pendant, après...

Avant

Comme pour tout projet qui se tient, immergez-vous dans l'idée que « quelque chose va changer » et que cela va être amusant et gratifiant. Considérez simplement que vous allez vous faire un cadeau, comme si vous alliez passer trois semaines sur une plage de sable blanc ou faire le tour du monde avec votre homme, histoire d'enrichir vos expériences et votre sensibilité. Vous allez vous faire du bien. Motivant, non ? Il faudra naviguer entre lâcher prise et suivre une discipline, entre gourmandise et juste milieu. Oublier les poncifs sur les régimes, les calories, les « on n'a rien sans rien », les décisions drastiques... Ne vous donnez que des arguments positifs, optimistes.

Pendant

Soyez égoïste, et tout le monde vous laissera tranquille. On trouvera que vous êtes une jolie hédoniste, une personne qui sait prendre soin d'elle. Encore une fois : mangez ! C'est ce qu'on a trouvé de mieux pour ne plus être obsédée par son poids et pour garder le moral. Passez du temps dans votre cuisine. Faites les courses. Vous ne perdrez pas de poids de façon éclair, on est d'accord, mais vous changerez votre façon d'appréhender la nourriture en en faisant votre alliée. Vous êtes une star, vous méritez bien ce traitement de faveur. À une époque où tout le monde lit, regarde et consomme les mêmes choses, démarquez-vous et adoptez un comportement qui fera de vous une exception, une personne unique. Bon appétit !

Après

Si vous avez plaisir à cuisiner et que vous variez les plats et les ingrédients, il n'y a pas vraiment d'après. Après est pareil que pendant.

Qui suis-je, où vais-je et sur quelle étagère ?

Test : les différents types de minceur.

Pour vous, le petit déjeuner, c'est…
- Un sachet protéiné.
- Du pain perdu brioché à la confiture de lait trempé dans le cacao.
- Un bol de muesli cru avec des fruits frais.
- Il est déjà midi, ce sera le reste du gratin d'hier avec des gélules minceur.

Votre meilleure amie vous trouve un peu arrondie ces temps-ci.
- Vous vous promettez trois jours de jeûne dès demain. Raison de plus pour finir la daube aujourd'hui.
- Vous l'envoyez promener en finissant votre Sunday banana split.
- Vous ne paniquez pas, les choses se remettront en place tranquillement.
- Vous fondez en larmes.

Quand vous faites les courses…
- Au marché bio, vous papotez avec vos copains commerçants.
- C'est toujours la même liste minimale.
- Sur Internet, un peu au pif, pour rigoler.
- Deux chariots à chaque fois, c'est lourd.

En vacances…
- Un spa en ex-Allemagne de l'Est + diète médicale à 1 000 calories/jour.
- Vous ne changez rien, juste plus de plaisir.
- Rien la journée, pour vous concentrer sur le buffet à volonté du soir.
- Route du vin et confit de canard spécial terroir à chaque repas.

Dix copains à dîner ce soir…

- Angoisse ! Vous prétendez avoir une gastro et ne mangez rien.
- Le buffet froid est incroyablement coloré, appétissant et original.
- Vous avez oublié de faire les courses. Zut.
- Que des desserts, c'est fun.

Le lundi matin, votre routine, c'est…

- 80 cl de draineur dans 1 l d'eau à jeun + 2 h de barre au sol.
- Un smoothie aux graines germées + fruits frais.
- Ça dépend de la gueule de bois : tisane et Nutella sans pain.
- Œufs au bacon, chocolat chaud, croissant. Faut ce qu'il faut.

Au restaurant…

- Vous n'y allez jamais.
- Crudités sans assaisonnement, Coca light, foie gras et profiteroles.
- Japonais, avec un petit verre de saké.
- Fondue savoyarde, c'est votre truc.

Dîner aux chandelles avec Archibald…

- Vous lui expliquez la philosophie du blanc de poulet vapeur.
- Huîtres, champagne et gingembre confit trempé dans du chocolat noir.
- On va en boîte tout de suite. À minuit : choucroute.
- Il a fait les courses, vous aussi : on mélange tout.

Dans votre sac à main…

- Un spray coupe-faim japonais aux algues.
- Des noix de soja.

- Un patch anti-cellulite périmé et du Toblerone.
- Rien. Mais dans le tiroir du bureau, de quoi tenir le siège de Stalingrad.

Votre dernière grosse dépense…
- Une machine à pain programmable.
- Quarante séances d'acupressure amaigrissante par hypnose.
- Un stage pour apprendre à lyophiliser le lait concentré sucré.
- Un troupeau d'oies pour faire vous-même votre foie gras.

Résultats

Max de ● : type extrême

Allons-y sans détour : vous en faites trop. Votre vie tourne autour de vos efforts déments pour rester mince. Vous vous frustrez en permanence et risquez fort la déprime et l'isolement. Il faudrait lâcher du lest. Être plus indulgente et savoir manger une petite mousse au chocolat en se léchant les doigts. Faire passer le tout avec un chablis bien frais. De grâce, détendez-vous ! Vous êtes ravissante et sûrement mince. Alors, si, en plus, vous devenez relax et désangoissée, ce sera magnifique.

Max de ● : type n'importe quoi

Les mots nous manquent pour décrire le chaos sympathique dans lequel vous naviguez avec charme. Honnêtement, les montagnes russes de votre poids sont-elles un plus dans votre vie ? Et que dire de ce saucisson ingurgité pendant la cure de bouillon de légumes ? À quoi servent vos efforts, si vous les sabordez ? Vous êtes belle, intelligente, il va falloir se recadrer un peu. Cela n'enlèvera rien à votre fantaisie ni à votre caractère haut en couleur. Ajoutez-y un tout petit peu de cohérence et gardez votre sourire malicieux.

Max de ● : type équilibré

Pile-poil dans le mille. Est-ce le fruit du hasard ? La nature qui vous a dotée d'une sagesse de moine tibétain ou d'un tempérament de diva : vous êtes dans le juste, le vrai. Vous savez ce qui est bon. Et vous vous faites plaisir. Votre table est un festival de couleurs, de fraîcheur et de saveurs. Stop. N'en jetons plus ! Rien à redire. Parlez de votre secret à vos amies. Dites-leur que c'est vous qui avez écrit ce livre (là, on rigole, parce que nous ne sommes pas si parfaites). Bravo.

Max de ● : type kamikaze

Votre métabolisme est une sorte de miracle. Vu ce que vous lui faites subir, c'est déjà pas mal de porter encore un jean taille 38. La nature est injuste, vous êtes chanceuse, mais une prise de conscience s'impose. Cela ne durera peut-être pas toujours (on sait de quoi on parle). Vous êtes une splendide voiture de course : si vous utilisez du carburant frelaté, tôt ou tard, vous en paierez le prix. O.K., la métaphore avec les voitures est un brin vieillotte ou machiste, mais… Réfléchissez : fast-food, cigarettes, sauce barbecue et Nutella sont-ils l'apanage de la femme fantastique que vous êtes en train de devenir ? Vous détestez vous priver ? Nous aussi. Changer de regard sur la vie et sur la nourriture, c'est bien plus ambitieux et amusant. Bonne chance !

Trucs et trocs… mince alors !

Vieille habitude	**Nouvelle habitude**
2 apéritifs louches, sucrés. →	1 verre de très bon vin rouge ou un petit verre de vodka glacée.
Céréales sucrées pour le matin. →	Fruits + yaourt, céréales crues et lait végétal, riz soufflé bio.
Snacks chocolatés. →	Moins de chocolat, plus de fruits secs (figues, dattes, noix du Brésil, noix de macadamia).
Café. →	1 expresso, O.K., puis du thé vert, du thé au ginseng ou du thé chai.
Œufs-bacon pour le petit déj'. →	Œufs pochés avec épinards juste blanchis, soupe miso instantanée, galette de riz et jambon.
Repas congelés tout prêts. →	Herbes et légumes + dés de jambon ou de tofu, salades de dernière minute associées à du riz complet ou à des nouilles asiatiques cuites au wok antiadhésif.
Frites de brasserie. →	Chips de légumes maison (très fines lamelles de carottes, betteraves, navets, patates douces justes « massées » à l'huile d'olive et passées au gril du four).

Snacks gras et biscuits à apéritif. →	Fruits frais en carpaccio, salade de haricots rouges pimentés, tapas de viande seule, chips de maïs bleu (en magasin bio ou au rayon américain), bâtonnets de carottes, graines de tournesol.
Margarine, beurre allégé. →	Huiles végétales de première pression à froid, vrai beurre.
Beurre pour la cuisson. →	Beurre uniquement « à cru » sur des légumes verts, sinon crème de soja-cuisson.
Mayonnaise. →	Crème de tofu soyeux, vinaigrette, mélange de moutarde et de yaourt, tahini, houmous.
Fromages industriels. →	Tous les chèvres et brebis.
Soda. →	Eau minérale.
Riz blanc. →	Riz complet, riz complet basmati.
Sucre blanc. →	Sirop de riz, fructose, miel, cassonade.
Crème glacée. →	Sorbet aux fruits.
Charcuterie. →	Huîtres.
Pâtes blanches. →	Pâtes complètes.
Pain blanc. →	Pumpernickel (pain noir allemand disponible en grande distribution).

La vitalité à son maximum

- Ne stockez pas les fruits et les légumes trop longtemps.
- Gardez-les au frais.
- Mangez le plus de cru possible.
- Mangez de préférence les fruits avec leur peau (bien lavée).
- Ne coupez pas les fruits et les légumes longtemps à l'avance.
- Faites germer les graines, les amandes, les céréales.
- Mangez des pousses de salade.
- Cuisez à la vapeur rapide.
- Essayez les fruits exotiques en toute saison.
- Buvez vos jus d'agrumes pressés tout de suite.
- Achetez les produits locaux de saison.
- Assaisonnez avec du jus de citron.
- Mangez du persil, de l'ail.
- Mangez du vert, du rouge, du jaune-orange chaque jour (violet, blanc et marron en alternance).

Notre « top ten » des fruits et légumes

1. Brocoli. Plein de fibres et de vitamine C. Riche en autres antioxydants. Fleurette sympathique. Délicieux cru aussi.

2. Carotte. Donne un joli teint (votre maman ne vous a jamais dit ça ?). Contient du bêta-carotène (vitamine A) et du caroténoïde, qui aide à lutter contre beaucoup de choses horribles comme l'asthme ou l'arthrite. Jolie couleur.

3. Mangue. Encore du bêta-carotène. Saveur inouïe. Bon avec du salé aussi.

4. Épinard. Plein de fer, vous le savez, et toujours le fameux bêta-carotène. Fibres et verdure. Meilleur frais, selon nous.

5. Citron et citron vert. Un peu de leur jus rehausse tout. Ils sont pleins de vitamine C et de potassium.

6. Tomate. Composée à 90 % d'eau, elle apporte un peu de Méditerranée à votre assiette + un antioxydant (le lycopène) excellent pour la fermeté de la peau. Toujours ça de pris.

7. Pomme. Pleines de fibres et de pectine, ces compagnes d'Ève et de Blanche-Neige sont variées, bonnes toute l'année, pratiques, et indémodables crues ou en dessert. Croquer une belle pomme rouge, c'est sexy, non ?

8. Airelles. En France, on les trouve sèches en magasin bio. Vous pouvez les faire tremper. Leur petit goût acide et inattendu est fantastique. Elles aident à éliminer, elles apportent des tonnes d'antioxydants. Elles constituent un petit déjeuner très sympathique avec du pain complet (sucre lent et sucre « boostant »). En jus, sans sucre, c'est une vraie boisson d'adulte, ni sirupeuse ni douceâtre.

9. Banane. Très énergétique. Le saviez-vous ? Des chefs d'orchestre réputés mangent six à huit bananes avant chaque concert, pour le sucre et le potassium. De là à penser qu'elles apportent une touche de poudre de perlimpinpin à leur inspiration, il n'y a qu'un pas.

10. Myrtilles. Bonnes pour la vue (autres paroles de maman). Pour le plaisir des yeux donc : leur couleur bleue, rarissime dans l'alimentation que nous a donnée Mère Nature, est un petit plaisir volé. Antioxydants encore… Ça, vous l'aurez compris, c'est LA BONNE CHOSE à rechercher ! Se marient si bien avec leurs cousines, les autres baies, framboises, fraises, groseilles…

Oui, je vous vois venir, tout choix est injuste. Il y a l'ail, la poire, les fraises, les pêches, les salades toutes fraîches. Tout est bon. Oubliez les histoires de fruits acides et fruits doux à ne pas combiner, fruits ou légumes trop sucrés… Un comble ! Il vaut mieux une bonne assiette de carottes râpées qu'un éclair au café ou une tranche de pâté de campagne, non ?

Les alliés injustement oubliés : nos favoris

Les petits plats « costauds » qui calent

Vu notre longue expérience en matière de régimes, nous savons à quel point on peut souffrir d'une alimentation constituée uniquement d'aliments légers, aqueux, mousseux, aériens, bref : autorisés et ennuyeux (la fameuse petite soupe de melon, délicieuse sur le coup mais qui vous laisse avec une faim de loup une heure après). Nous savons aussi que ce qui manque, c'est d'utiliser nos dents, nos mâchoires, bref de se sentir RASSASIÉES. D'avoir l'impression de manger VRAIMENT.

Les sucres lents

Oui aux céréales, aux pâtes, aux pommes de terre et aux légumineuses ! Mais associées à des fruits, des légumes, des herbes. C'est bien plus digeste qu'avec des protéines type viande ou poisson, diététiquement cohérent et gustativement sa-tis-fai-sant. (À condition de suivre la règle d'or numéro 2, concernant les quantités.)

Les graines, les noix, les fruits secs

Cela nous vient peut-être d'une nouvelle tendance qui fait rage aux États-Unis, mais qui est réellement l'amie de votre digestion, donc de votre silhouette : le manger cru. Le manger vivant ! (Voir pages suivantes.)

Les bonnes huiles

Assaisonnez, variez les goûts et les plaisirs. Plus c'est goûteux, moins il y a besoin d'en mettre. Une vraie bonne huile de tournesol par exemple, première pression à froid, artisanale, c'est délicieux et très particulier. Mais il y a aussi les huiles de sésame, de noisette, de colza, d'argan et bien d'autres…

Le chocolat

On a pu lire que ce précieux aliment renferme quantité de magnésium et de polyphénol (antioxydant) et qu'il contient la même substance que celle que le cerveau produit lorsqu'on tombe amoureux… Oui. Mais avant tout, le chocolat, c'est bon. C'est pourtant l'ennemi numéro 1 dès qu'il s'agit de freiner les bonnes choses. (On ne vous parle même pas des viennoiseries ou du nougat, car eux sont carrément bannis, tels les dinosaures d'une ère glaciaire incertaine.) Bref, le chocolat est le petit quelque chose que l'on regrette le plus. Voici notre philosophie : fuyez le mauvais chocolat. Lisez les étiquettes : la plupart du temps, il ne s'agit que de lécithine de soja, de beurre de cacao trafiqué, de sucre et de gras. Parmi les marques dignes de ce nom, choisissez votre chocolat favori. Pratiquez les deux autres règles d'or : quantité modérée et consommation réduite aux heures des repas. Exceptionnellement, à l'heure de votre expresso. Vous verrez que cela va changer pas mal de choses.

L'alcool

Une vie sans une goutte d'alcool nous paraît triste comme un jour sans soleil ou un baiser sans moustache, pas vous ? (Euh, en fait, c'est juste pour le plaisir du bon mot, car nous connaissons des hommes magnifiques sans moustache.) En ce qui concerne le vin, on lui trouve à lui aussi de saines vertus et de précieux polyphénols en masse… L'alcool désinhibe et c'est ce qu'on aime. Mais comme l'alcool annihile aussi la volonté, arrêtez-vous à deux verres de vin (lors d'un grand soir), car, après cela, vous risquez d'être tellement désinhibée que vous finirez le dîner en chantant des chansons que la pudeur ne nous autorise pas à retranscrire ici. Nous avons un faible pour l'alcool très fort en très petite quantité. Trois gorgées de vodka bien glacée, une petite portion express de gin, ça fouette, ça remet les idées en place et ça vous rend ravissante, car souriante. Oubliez les cocktails sirupeux et sucrés, soyez franche et typée : osez. Après, on s'arrête là, merci.

Graines, céréales et noix germées

Vous vous souvenez de l'expérience des haricots rouges posés sur un radiateur et que vous regardiez pousser (à 7 ans) ? Eh bien, c'est la même chose. Passé un certain temps de trempage, les graines germent. La vie est là ! On peut les concasser, les manger en salades, en galettes, en « smoothie » comme dans notre recette de petit déjeuner. Ce sont des trésors endormis dans le monde de l'alimentation, qui apportent une forte quantité de fibres, d'enzymes assimilables et de substances rares favorisant le bien-être du métabolisme dans son ensemble. Il y a deux façons de procéder.

La germination : un trempage de quelques heures. On observe ainsi une modification de l'aspect : la graine (oléagineuse ou non) s'ouvre légèrement et se ramollit. Un minuscule germe apparaît. Il faut utiliser des graines crues, non grillées, et biologiques de préférence. La germination peut très bien se faire dans une assiette creuse pendant la nuit.

La pousse suit le même procédé jusqu'à l'étape d'après : le germe pousse de quelques millimètres par jour. Quelques feuilles minuscules apparaissent, dans certains cas. Vous connaissez sans doute l'alfalfa (la luzerne) et ses petites tiges vertes que l'on parsème dans beaucoup de salades, mais des dizaines de graines et céréales peuvent être ainsi « bourgeonnées » et donner de petites pousses. Il suffit d'un peu d'organisation, c'est extrêmement simple. On trempe, on rince, on trempe à nouveau. On attend. Et voilà. La pousse demande un peu d'arrosage et d'attention : l'utilisation d'un germoir s'avère très pratique. Essayez d'abord avec une assiette creuse, puis investissez dans du matériel si cela vous plaît.

Les graines germées sont délicieuses dans les salades, les galettes, les soupes, les smoothies (boissons mixées). Les pousses sont fantastiques pour agrémenter toutes vos salades de crudités et comme accompagnement. De plus, vous avez le plaisir de dire : « Ça vient du jardin… ou du balcon. » Voici un récapitulatif des différents temps de germination et de pousse. Lancez-vous ! Ça vaut le coup.

	Germination	Pousse
Alfalfa	8 heures	2 à 5 jours
Lentilles	8 heures	12 heures
Radis	8 heures	2 à 4 jours
Courge	8 heures	1 jour
Tournesol	2 heures	2 à 3 jours
Quinoa	2 heures	1 jour
Riz complet	9 heures	3 à 4 jours
Amandes	8 à 12 heures	12 à 15 heures
Noix de cajou	2 jours	(pas de pousse)
Blé	7 heures	2 à 3 jours
Trèfle rouge	8 heures	2 à 5 jours
Seigle	8 heures	3 jours
Moutarde	8 heures	2 à 5 jours
Cresson	12 heures	6 à 8 jours
Haricot mungo (graines de soja)	12 heures	4 à 5 jours

Toutes ces graines s'achètent dans les magasins bio, tout comme les germoirs. Il existe des germoirs individuels, peu encombrants et largement assez grands. Vous n'avez pas besoin de vous transformer en unité de production de masse. L'important, c'est de s'amuser et d'y prendre plaisir. Pour la pousse, n'oubliez pas de rincer souvent et de surveiller. Laissez travailler la nuit, la germination est plus facile.

Petits déjeuners

Micro-trottoir

Mon corps et moi :
ce que j'aime bien,
ce que je changerais bien

Ce que j'aime bien
chez moi ? Mes mains.
Le moins ? Mes mollets.
On dirait que j'ai fait le Tour
de France… En fait, mon homme
me trouve sublime comme ça.
Surtout mon petit bidon.

**Anna, 35 ans,
54 kilos**

Moi,
ce que j'adore, c'est
la courbe de mes reins.
Une vieille dame qui est une
vraie beauté m'a dit un jour que si
l'on a une jolie courbe des reins,
on peut être ronde en dessous, ça
n'a pas d'importance.

Miranda, 27 ans,
66 kilos

Ben moi, ce que
j'aime le plus, c'est la
figure. Et je voudrais des
cheveux bruns. Pour le corps,
ce serait de goûter plus de
choses dedans.

Céleste, 6 ans, 18 kilos

34

Je crois que je
n'aime rien. Rien du tout.
Mais à chaque fois qu'on m'a
demandé si je voulais changer
quelque chose dans mon
physique, je n'ai rien trouvé
à dire. Je garde tout.
Madeleine, 17 ans,
46 kilos

Il y a une chose que
je ne changerais pour rien
au monde, ce sont mes
hanches arrondies. En revanche,
le petit gras sous le bras, à
l'arrière, je le lègue à qui veut,
merci.
Francesca, 48 ans,
60 kilos

Le corps ? Tu
voudrais changer tes
os ? (Prononcer le « s »,
c'est encore plus
mignon.)
Antoine, 3 ans 1/2,
15 kilos

Ce qu'il faudrait que
je change, c'est mon
caractère. Sinon, le corps, ça va.
Je m'arrange. Ah si ! Mes cuisses de
nymphe… J'ai les mêmes que ma
mère et que ma sœur. Alors, j'ai un
peu peur pour ma fille, Pénélope,
4 ans. (Non, n'écrivez pas ça,
je plaisante !)
Marie, 38 ans,
60 kilos

Financiers de tapioca à la vanille

Oubliez les potages de la cantine. C'est le retour du tapioca, sa réhabilitation au rang de saveur intéressante. Ce produit énergétique et digeste est fabriqué à partir du manioc, base de repas dans de nombreux pays d'Afrique et d'Asie. Il est meilleur en utilisation sucrée, où sa texture atypique donne des résultats régressifs à souhait. Il est aussi très bon dans une version crémeuse, qui se rapproche du riz au lait. Les briquettes de cette recette, aux formes de financiers, ont une esthétique très zen. Elles se conservent quelques jours au frais et sont une bonne idée de petit déjeuner peu sucré, accompagnées de fruits secs. Les points noirs de la vanille leur donnent un faux air de crème anglaise solide.

Pour 4 à 5 financiers

- 25 cl (1 briquette) de lait de soja
- 3 à 4 c. à s. de tapioca
- 2 c. à s. de crème de soja
- 1 c. à c. de vanille en grains
- 1/2 noix de coco fraîche

Mélanger le lait de soja et la vanille, puis porter à ébullition à feu doux. Jeter le tapioca en pluie fine et cuire 7 min en remuant régulièrement. Ajouter la crème de soja en remuant et verser dans les moules. Laisser refroidir, puis démouler doucement. Prélever des lamelles de noix de coco à l'aide d'un épluche-légumes. En garnir les « financiers » et déguster froid.

N.B.

On trouve de bons moules à financiers (ou d'autres formes individuelles) en matière souple. Ils sont pratiques et n'attachent jamais. Ils donnent vraiment la sensation d'être une surdouée de la pâtisserie.

Pain d'abricots secs

Pas besoin d'un four de boulanger pour réussir cette merveille. Faites-le la veille pour être tranquille. Le petit déjeuner est notre repas favori. À tout seigneur, tout honneur : autant qu'il soit parfait et savoureux. Ne le zappez pas, ce serait dommage de se priver de cette très bonne utilisation de calories permises, car brûlées rapidement. Ce pain aux abricots est absolument fantastique : peu sucré, consistant à mâcher (c'est l'une des choses qui manquent le plus dans un régime strict n'autorisant que les légumes ou les choses molles). Il est parfait avec un thé aux agrumes. Deux petites tranches suffiront à votre bonheur.

Pour 1 pain

- 125 g de muesli sans sucre
- 75 g d'abricots secs hachés
- 50 g de sucre roux en poudre
- 30 cl de jus de pomme
- 125 g de farine complète
- 2 c. à c. de levure chimique
- 50 g de noisettes hachées

Faire tremper le muesli, les abricots et le sucre dans le jus de pomme pendant environ 1 h. Préchauffer le four à 180 °C. Quand le muesli a bien gonflé, ajouter la farine, la levure et la moitié des noisettes hachées. Bien mélanger. Mettre le tout dans un moule à cake garni de papier sulfurisé. Saupoudrer du reste de noisettes et cuire pendant 1 h. Faire le test du couteau pointu enfoncé dans le cake pour vérifier la cuisson : la lame doit rester sèche.

N.B.

Si le muesli est déjà sucré (aargh !), ne rajoutez pas de sucre. Vous pouvez utiliser du jus d'orange à la place du jus de pomme, et des noix du Brésil à la place des noisettes.

Granola cru au lait végétal

Le granola est un muesli cru très consistant et croustillant. Cette recette sublime, fondamentale, nécessite un peu de préparation, mais quand vous l'aurez essayée, vous ne pourrez plus vous en passer. C'est un mélange pour petit déjeuner qui change vraiment, pour l'excellente raison que les aliments sont crus. La parcelle de vitalité et de fraîcheur est là, et ça change tout. Pendant la nuit, les amandes s'ouvrent légèrement : elles germent, ce qui augmente leur digestibilité et leurs apports nutritifs tout en les rendant plus tendres. Un bol vous « calera » jusqu'à midi. Et c'est si bon…

Pour 2 portions

- 2 poignées d'amandes
- 1 poignée de raisins secs
- 3 dattes non sucrées
- 1 jus de citron
- 1 c. à c. de cannelle
- 1/2 c. à c. de noix muscade râpée
- 1 c. à c. de graines oléagineuses (courge, tournesol, lin)

La veille, si nécessaire, émonder les amandes en les plongeant 3 min dans un bol d'eau très chaude pour ôter la peau brune qui les recouvre. Puis mettre les amandes, les dattes dénoyautées, les raisins et les graines dans une assiette creuse avec un peu d'eau tiède. Les produits doivent être à peine recouverts. Laisser tremper pendant la nuit, en couvrant d'une assiette. Le lendemain matin, passer le mélange égoutté au mixeur avec les épices et le jus de citron pour obtenir la consistance d'un hachis croustillant. Éviter de le transformer en bouillie. Servir tout de suite, avec du lait de riz et un fruit frais (morceaux de pomme ou myrtilles, par exemple).

N.B.

Le granola se garde 2 jours au frais dans une boîte hermétique.

Œufs brouillés corail
sur galettes de riz au sésame

En chimie, nous avons appris qu'il y a le liquide, le solide et le gaz. Et puis (selon nous) il y a… les œufs brouillés. Une substance inénarrable, mousseuse, unique… Voilà l'une des seules recettes qui justifie, à notre sens, l'utilisation du bain-marie. Lui seul leur donne cette texture magique. En général, on les mange trop cuits et grumeleux, surtout dans les hôtels, où ils sont préparés à l'avance. Sachez qu'ils se mangent tout de suite, car sinon ils cuisent encore dans la poêle ou dans l'assiette, et cela leur est fatal. Quoique puristes en la matière, nous aimons les marier à la saveur corail de la tomate. Quant au croustillant de la galette de riz, on ne vous raconte même pas. La simplicité dans toute sa splendeur.

Pour 2 personnes

· 3 œufs
· 2 c. à s. de crème fraîche ou de crème de soja
· 1 tomate
· 1 noix de beurre salé
· poivre noir du moulin
· 2 galettes de riz au sésame

Peler la tomate en la plongeant pendant 1 min dans de l'eau bouillante. La couper en petits morceaux, en prenant soin d'enlever les pépins. Battre les œufs et la crème énergiquement. Faire bouillir de l'eau pour le bain-marie. Faire fondre doucement le beurre dans le récipient qui y est plongé et jeter le mélange œuf-crème et la chair de tomate. Poivrer. Remuer sans cesse avec un fouet pour garder l'aspect mousseux. Passer les galettes de riz au grille-pain. Dès que la consistance des œufs devient crémeuse, servir sur les galettes de riz encore tièdes.

Galettes de flocons d'avoine

Nous aimons bien les galettes. Leur petit air dodu et campagnard nous ravit, leur consistance aussi. C'est une formule magique, car on peut en faire tout ce qu'on veut. Elles sont idéales pour un petit déjeuner bien nourrissant. À mi-chemin entre le pain et les crêpes, elles se servent idéalement avec de la confiture, de la compote ou une petite touche de miel, mais aussi avec du salé, pour un breakfast à l'anglaise : un peu de jambon à l'os (mieux que le bacon, trop gras), du saumon fumé ou du fromage. De plus, bien épaisses, elles sont roboratives comme on aime et procurent une vraie sensation de satiété, donc de bonheur !

Pour 2 galettes

· 1 verre de flocons d'avoine
· 1 verre de lait
· 2 c. à s. de graines de tournesol
  (trempées la veille, si possible)
· 1 œuf
· 1/2 c. à s. de farine complète
· 1 c. à s. d'huile

Faire gonfler les flocons d'avoine dans le lait quelques minutes, puis ajouter les graines, l'œuf et la farine complète. Bien mélanger. Faire chauffer la poêle avec un peu d'huile et verser 1 bonne c. à s. de mélange pour former 1 galette. C'est meilleur quand c'est bien épais, car c'est cuit et doré à l'extérieur et moelleux à l'intérieur. Il est donc important que la poêle soit bien chaude, afin de saisir rapidement les 2 côtés. Répéter l'opération pour cuire la seconde galette et déguster encore chaud.

Variantes

On peut parfumer les galettes à la cannelle ou à la vanille (version sucrée) ou au cumin, au curry, au paprika (version salée). On peut aussi ajouter directement dans la préparation du fromage de type comté ou cheddar… et en faire un dîner du soir, avec une bonne salade.

Porridge au sirop d'érable

Quand Aimée était enfant, son père (*made in USA*) **lui préparait du porridge avec de l'eau et du sel. Il apportait l'assiette creuse fumante et ajoutait une énorme quantité de beurre à la dernière minute. Oui, oui… Elle aimait ça. C'était bon. « Peut-être ne suis-je pas tout à fait objective », avoue-t-elle. Aux États-Unis, c'est le plat idéal pour faire tenir les enfants jusqu'au match de base-ball de l'après-midi. De l'authentique, du costaud, surtout par − 10 °C ! Il y a des choses qui ne sont même plus des recettes, mais plutôt des réflexes… Le lait de châtaigne a un délicieux petit goût farineux et vanillé. De plus, ce repas nourrissant est celui que l'on trouve, tout fumant et moelleux, dans les bols des trois ours, dans le conte** *Boucle d'Or.* **Appétissant, non ? Un petit déjeuner qui n'a que des qualités.**

Pour 1 portion

- 4 c. à s. de petits flocons d'avoine
- 1 verre de lait de châtaigne
  (grande surface ou magasin bio)
- 1 c. à s. de sirop d'érable

Faire cuire tout doucement les flocons d'avoine dans le lait, à la casserole. Quand ils sont bien gonflés, arrêter la cuisson et les verser dans un bol, puis ajouter le sirop d'érable.

Variantes

Essayez d'autres laits végétaux en vente dans les magasins bio.

Madeleines au parmesan et à l'orange

On ne sait pas si Proust les aurait appréciées, car il paraît qu'il était très attaché à la tradition en la matière, mais ces madeleines « pour rire » ont tout des vraies : leur chair dorée comme un quatre-quarts, leur petit ventre rebondi (il vaut mieux que ce soit le leur que le vôtre), leur goût subtil. Avec un « je ne sais quoi » en plus : leur parfum à la sortie du four est inégalable pour embaumer la maison ! Voilà un petit déjeuner qui change, une délicatesse avalée en un clin d'œil, et, de surcroît, salée. Elles sont très bonnes avec un thé bien fort, de type « English Breakfast », car leur goût d'orange rappelle celui de la marmelade d'outre-Manche. Ne vous jetez pas sur le pot (de marmelade) pour autant, ne vous jetez pas sur les madeleines non plus. Gardez-en pour demain matin, elles se conservent très bien. Allez Marcel… juste une, pour goûter !

Pour 8 grosses madeleines

- 40 g de beurre ramolli
- 80 g de parmesan
- 2 œufs
- 80 g de farine complète
- 1 orange non traitée

Préchauffer le four à 160 °C. Prélever le zeste de l'orange et en presser le jus. Tourner le beurre et le parmesan râpé en crème, puis ajouter les œufs un à un et 2 c. à s. de jus d'orange. Bien mélanger et terminer par la farine et le zeste. On doit obtenir une pâte souple. Sinon, rajouter un peu de jus d'orange. Mettre dans un moule à madeleines beurré et cuire pendant 20 min. Surveiller de près la cuisson. Démouler avec précaution et servir froid ou tiède.

N.B.

Les moules souples sont parfaits pour obtenir un bon démoulage.

Smoothie à la banane et aux graines germées

Vous n'avez pas de blender ? Selon nous, c'est l'achat de l'année, le *must have* du moment. Le genre de gadget que l'on se refuse pendant des années et puis, le jour où on l'a enfin, on se demande comment on a pu s'en passer. Vous ne connaissez pas les smoothies ? C'est un terme anglais très dans l'air du temps qui désigne toute association de fruits ou de légumes et de liquide froid (chaud, cela deviendrait une soupe) préparée au blender. Ce sont donc des cousins des milk-shakes ou des coulis, bien mousseux, aériens et nourrissants à la fois. Des boissons-aliments. Si leur variété est infinie et propice à l'imagination, ce qui ne varie pas, c'est leur texture aérienne. Celui-ci est fait avec des graines juste germées, déployant leur vitalité et leurs nutriments. C'est un concentré d'énergie, très digeste, formidable pour bien démarrer la journée.

Pour 1 verre

- 25 cl de lait de riz bien froid
- 1 banane bien mûre
- 2 c. à s. de graines de blé germées
- 1 c. à c. de sirop de blé

Mettre tous les ingrédients dans le blender. Mixer pendant 2 min à grande puissance (à vitesse maximale, ce n'en sera que plus léger et homogène). Verser dans un grand verre à limonade et déguster bien froid.

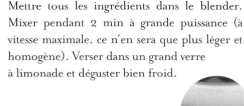

Variantes

En été, on peut remplacer la banane par une pêche jaune bien mûre ou des fraises. C'est un bon petit repas du soir.

Compote solide et petite farine fraîche

Vous connaissez l'histoire de ces céréales retrouvées dans les sarcophages des pharaons ? À votre avis, qu'en fit-on ? On les goûta ? Non, on les planta. Le miracle fut qu'elles croissèrent et se multiplièrent, ce qui prouve qu'elles étaient vivantes. C.Q.F.D. : les graines crues sont riches de promesses. Elles renferment les vitamines, les oligoéléments, les enzymes que les farines modernes n'ont plus. Autrefois, le temps passé entre le moulin et le boulanger était très court : la farine était plus nourrissante, non raffinée, vivante. (C'est une petite fille de minotier qui vous parle !) Ici, le petit plus, c'est donc la farine moulue à l'instant même. Côté fruits, on cuit tout : peau, pépin, trognon. Pas d'épluchage. La poire est douce et n'a pas besoin d'être sucrée. Cette compote se conserve durant une petite semaine dans une boîte hermétique et peut servir de base au petit déjeuner.

Pour 2 bols

- 4 pommes
- 4 poires
- 1 c. à c. de céréales crues moulues

facultatif :

- 1 c. à c. de noisettes, lin, tournesol
- 1 c. à c. de miel

Laver les pommes et les poires et les couper en deux sans enlever la peau ni les pépins. Mettre les fruits dans une casserole avec un peu d'eau et cuire pendant 20 min. Les réduire en compote avec un presse-légumes. Ajouter les grains moulus à même l'assiette.

N.B.

En matière de céréales, vous avez le choix : avoine, orge mondé, riz complet, sarrasin… Le seigle et le blé crus sont moins bien tolérés.

Petites entrées entre copines

La réalité dépasse la fiction
Les régimes les plus catastrophiques des copines

Il y a quelques années, je suis tombée amoureuse de mon nutritionniste. Une relation passionnée et bizarre. Je fondais à vue d'œil et il me disait que c'était les bienfaits de la relation patient/médecin. Il m'a quittée quand sa femme est tombée enceinte de leur troisième ! J'ai repris 9 kilos en trois semaines.

Bérénice, patiente et passionnée

Une amie qui faisait beaucoup de yoga m'a recommandé la cure ananas-champignons de Paris. Entre deux pleines lunes, tu ne mangeais que ça, à volonté et à des heures précises. J'ai un peu maigri, mais surtout, depuis, je ne peux plus voir un champignon en peinture. Ça me rend malade !

Lucie, anti-mycologue

J'ai tout essayé : les régimes Miami, Hollywood, South Beach, Beverly Hills, The zone (qui fait fureur à New York), le régime des pilotes de la NASA à l'entraînement, celui de docteur Atkins et même celui d'Hillary Clinton, lu dans un magazine… Et je reprends toujours tous les kilos à la fin !

Clara, américanophile

À 20 ans, j'ai demandé à mon amoureux de manger tout ce dont j'aurais envie à ma place. On s'arrêtait à chaque boulangerie, chaque fast-food. Il se tapait tous mes fantasmes alimentaires : viennoiseries, gâteaux, Mars, Nuts, tout. J'ai maigri. Pas lui. On est toujours ensemble, mais c'est un sujet un peu tabou entre nous…

Sophie, gourmande
par procuration

J'ai suivi la méthode d'un groupe de soutien américain. Réunions hebdomadaires, carnet de bord, comptage de points, courbe de poids. Je devais aussi papoter avec les dames du groupe. Au bout de plusieurs mois, 8 kilos de perdus. Félicitations générales. Une vieille dame qui n'était pas venue depuis plusieurs réunions s'approche, toute gentille, et me dit avec son léger accent du midi : « Ah ! Je ne vous ai pas reconnue. Vous avez beaucoup maigri, hein ? Vous étiez si jolie avant, avec vos joues roses, rondes comme des petites pommes… Quel dommage ! » J'étais effondrée. Au fond, je crois qu'elle avait raison. Cette maigrichonne, cette petite pomme flétrie, ce n'était pas moi.

Françoise, petite pomme
appétissante

Adolescente, j'avais piqué un coupe-faim très fort (interdit à la vente depuis) à une amie de ma sœur. Je n'ai rien mangé pendant 6 jours. J'étais grisée. Le matin du septième jour, j'arrive pour le petit déjeuner, je dis bonjour à ma mère et je tombe dans les pommes sur le carrelage ! Panique totale. Je me suis fait sermonner, et, depuis, je n'ai plus jamais fait de régime de ma vie.

Joséphine, spartiate
repentie

Faisselles au cumin,
fils de carotte et pousses folles

Le déjeuner de copines n'est pas seulement une tradition printanière pour faire le point sur les progrès de votre silhouette ou de votre vie sentimentale, non. Libre à vous de vous adonner à des sujets autrement frivoles : lecture de la météo marine ou évocation des vertiges vestibulaires dans l'oreille interne. Quoi qu'il en soit, avec les copines, il est toujours utile de servir des plats légers et sympathiques. Nous les avons appelées « petites » entrées, mais vous pouvez en servir plusieurs dans l'ordre que vous voulez à la façon des mezzes libanais. La faisselle de chèvre frais fera aussi l'affaire. Si vous ajoutez les pousses que vous aurez obtenues dans votre germoir (cresson, luzerne, radis…), le résultat sera délicieux et encore plus frais.

Pour 2 personnes

- 2 fromages blancs en faisselles à 20 % de matière grasse
- 1 c. à s. de cumin
- 1 c. à c. de moutarde
- 2 c. à s. d'huile d'olive
- 1 jus de citron
- 1 c. à c. de ras el hanout
- 1 grosse carotte
- 1 poignée de pousses d'épinard
- sel et poivre

facultatif
- 1 poignée de graines germées

Vider les faisselles dans un bol avec le cumin, 1 c. à s. d'huile d'olive, la moutarde, le sel et le poivre. Mélanger en évitant de trop casser les faisselles et les remettre dans le pot en plastique qui sert à les égoutter. Avec une mandoline, râper la carotte en fils et l'arroser de jus de citron. Disposer sur les assiettes les épinards frais et la carotte et démouler les faisselles égouttées. Ajouter 1 c. à s. d'huile d'olive et saupoudrer de ras el hanout, de sel et de poivre. Servir frais.

Mi-cuit de crevettes roses au thé matcha et écrin de fenouil

Les crevettes ont une saveur et une texture à mi-chemin entre le poisson et le crabe. Le fait de les servir *al dente* met en valeur leur fraîcheur. La plupart des poissonniers les vendent décortiquées. Le goût légèrement râpeux du thé vert, allié à la douceur de la crème fraîche, donne à cette petite entrée une allure japonisante du meilleur effet. En alternative, vous pouvez utiliser des langoustines. Leur chair est très fine et leur couleur corail ravissante. L'important étant, comme toujours, la qualité. Nous n'aimons pas beaucoup les petites crevettes de grande distribution : elles ont une couleur chimique suspecte. Savourez le plaisir charnu des langoustines et des grosses crevettes fraîches ; nous sommes sûres que vous comprendrez ce que nous voulons dire. Il est amusant de faire la recette deux fois, avec deux produits différents, l'un artisanal et l'autre industriel. C'est très parlant.

Pour 2 personnes

- 6 crevettes
- 1 fenouil (avec tige et verdure)
- 3 c. à s. de crème fraîche allégée
- 1 citron (jus + zeste)
- 1 c. à c. de thé vert matcha
- 1 c. à c. de raifort
- sel et poivre

Couper les crevettes en fines lamelles et les asperger d'un peu de jus de citron frais. Dans un bol, mélanger la crème avec le reste du jus de citron, le zeste, le thé vert, le raifort et des pluches de fenouil coupées très finement. Mettre les crevettes sur une assiette ou comme sur la photo dans le bulbe d'un fenouil, ajouter la sauce puis poivrer et saler.

Salade d'oranges à l'ail,
aux amandes grillées et à l'huile d'olive

Voilà une entrée toute simple et qui change vraiment. L'important, c'est de bien peler les oranges pour ôter toutes les peaux blanches qui se trouvent entre l'écorce et la chair. Vous ne devez voir et conserver que la rosace orangée et translucide. Sa fraîcheur et son acidité contrastent à merveille avec l'amande grillée. Nous aimons par-dessus tout le goût estampillé « plat salé » de l'huile d'olive et de l'ail. La salade doit être bien parfumée et parsemée de fleur de sel croquant, à même l'assiette. C'est beau, c'est bon comme un voyage quelque part entre la Grèce et le Maroc… Excellent en hiver, pour se redonner du baume au cœur.

Pour 2 personnes

- 2 ou 3 oranges
- 9 amandes
- 1 gousse d'ail
- 1 c. à s. d'huile d'olive
- 1 c. à s. de coriandre fraîche
- sel et poivre

Peler les oranges avec un couteau très aiguisé pour enlever les petites peaux. Les couper en fines rondelles et les disposer en fleur sur les assiettes. Faire griller les amandes à sec dans une poêle pendant environ 2 min. Hacher la gousse d'ail très finement. Mettre le mélange amandes et ail sur les oranges. Verser le filet d'huile d'olive. Saler et poivrer. Parsemer de feuilles de coriandre.

N.B.

L'ail se digère mieux coupé en petits morceaux fins plutôt qu'écrasé. On peut lui adjoindre de la noix muscade, qui en atténue l'odeur – si celle-ci vous gêne – et facilite la digestion.

Salade de haddock aux deux pommes

Cette salade entre ciel et terre (à cause des deux pommes) est fraîche et nourrissante. Le secret de son petit goût, c'est le raifort. Pour faire encore plus joli, nous la servons dans des verres un peu hauts. Dans une première version, il n'y avait que les pommes vertes et le haddock, puis nous nous sommes laissé tenter par l'attrait de la pomme de terre. Et le mélange y a gagné. Une fois de plus, c'est plus consistant, donc vous n'aurez pas faim une heure après. Une vraie élégance. Au passage : mais qui était donc ce Smith qui donne son nom à ces pommes vertes ? « Ce Smith » était une grand-mère australienne, cultivatrice de pommes (en anglais, *granny* signifie « mamie »). Mille mercis Grann' de nous avoir donné ce fruit ferme et joyeux ! Tout le monde l'adore.

Pour 2 personnes

· 1 filet de haddock (200 g)
· 50 cl de lait
· 1 pomme granny-smith
· 4 petites rattes
· 1 c. à s. de raifort
· 4 c. à s. de crème fraîche allégée
· poivre
· persil
· 1/2 citron

Faire dessaler le filet de haddock dans de l'eau fraîche pendant quelques heures puis le cuire pendant 10 min dans du lait. Cuire les rattes dans de l'eau bouillante et les éplucher. Couper la pomme verte en petits cubes sans l'éplucher et l'asperger de jus de citron. Égoutter le haddock. Disposer tous les ingrédients dans un verre ou une assiette. À part, dans un bol, mélanger la crème avec le raifort. Poivrer. Verser la sauce sur la salade et ajouter un peu de persil.

Variante

On peut ajouter des raisins frais.

Carpaccio de courgettes massées à l'ail et au gingembre

Ces lamelles ont un air d'*antipasto* italien, mais elles vous étonneront sans doute, car le gingembre et la coriandre « racontent » immédiatement d'autres contrées. Le goût assez léger de la courgette s'en trouve sublimé, interprété. C'est aérien à souhait. Si vous trouvez que c'est un peu difficile avec l'économe, vous pouvez utiliser une râpe classique comme celle que vous prenez pour faire la salade de concombre. Simplement, vous placez les courgettes dans le sens de la longueur. Attention aux doigts ! Ce plat est exquis au printemps, quand les courgettes sont encore toutes petites et bien fermes. Les saveurs s'imprègnent et se fondent les unes dans les autres. C'est d'une simplicité biblique.

Pour 2 personnes

- 2 ou 3 petites courgettes bien fermes
- 1 gousse d'ail
- 1 petit morceau de gingembre frais de la taille d'1 noix
- 1 jus de citron
- 4 c. à s. d'huile d'olive vierge
- 5 brins de coriandre fraîche
- sel et poivre

Laver puis couper les courgettes en grosses lamelles avec un économe. Presser un citron et en arroser les courgettes. Couper l'ail et le gingembre épluchés en petits morceaux, hacher la coriandre et ajouter le tout aux courgettes. Bien mélanger en incorporant l'huile d'olive, le sel et le poivre. L'opération est encore meilleure quand c'est fait avec les mains. Laisser reposer pendant 2 h avant de servir bien frais.

N.B.

S'il en reste, on peut manger ces courgettes avec des spaghettis *al dente*. Un délice.

Tian cru bicolore

Le tian est un mot provençal qui désigne un plat en terre cuite. L'usage s'est étendu au contenu de ce plat. Il est devenu synonyme de ces grands repas d'été où les légumes confits (tomates, aubergines ou courgettes, entre autres) alternent joliment leurs couleurs dans un délicieux fumet d'ail, de thym et de romarin. Nous avions envie de tenter une version crue sur le même principe des couleurs alternées. Laissez reposer le plat quelques heures : c'est comme ça que les goûts se marient avec plus de bonheur. Un très joli menu pour les grandes chaleurs.

Pour 2 personnes

- 2 tomates
- 2 petites courgettes fermes
- 1 bûche de chèvre bien frais
- 2 brins d'estragon
- 3 c. à s. d'huile de noisette
- sel et poivre

Découper en rondelles fines les tomates, les courgettes et le chèvre frais, puis les disposer dans un plat en les alternant. Parsemer d'estragon et ajouter l'huile de noisette en filet, ainsi que le sel et le poivre à volonté. Servir frais.

Variante

Le thym frais est également excellent, quoique plus classique que l'estragon.

Tartare de poireaux,
sauce moutarde et œufs coque parfaits

Cette recette nous vient d'Alsace, où elle est servie dans un grand restaurant avec… du foie gras. Nous l'avons recréée en hommage à la première fois où nous l'avons découverte, avec étonnement et délice. O.K., il n'y a plus de foie gras, mais elle vaut d'être servie en toute simplicité. Le poireau est un légume un peu boudé, allez savoir pourquoi. C'est dommage, car il est bon marché et on en trouve tout l'hiver. Il trône en roi dans la famille des liliacées avec la ciboulette, les oignons, etc., dont la personnalité n'est plus à vanter. Oubliez les potages aqueux ainsi que les poireaux vinaigrette surcuits et mollassons. Nous les aimons croquants et verts, au goût comme à l'œil. L'œuf doit être juste mollet, avec le jaune bien coulant. Quelques gressins feront de jolies mouillettes.

Pour 2 personnes

· 2 ou 3 poireaux primeurs
· 2 œufs fermiers
· 1 c. à c de moutarde forte ou en grains
· 1 c. à s. de vinaigre de Xérès
· 2 c. à s. d'huile de colza
· herbes
· sel et poivre

Couper les poireaux en fines lamelles dans la longueur et les passer quatre fois sous l'eau bouillante à l'écumoire. Quand ils sont ramollis, les égoutter et les mettre dans un ramequin pour leur donner une forme. Bien tasser. Préparer la vinaigrette avec la moutarde, le vinaigre, l'huile, le sel et le poivre. Démouler les ramequins sur une assiette et verser la vinaigrette sur les poireaux. Parsemer de brins d'herbes. Cuire les œufs 3 min dans de l'eau bouillante salée et déguster avec les poireaux tièdes.

N.B. : délicieux aussi en plat du soir…

Poivrons grillés aux noix de pécan

Oui, c'est vrai que c'est un peu de travail, mais les poivrons, comme les tomates, sont bien meilleurs sans leur peau. Nous aimons beaucoup les noix de pécan, en particulier dans cette association raffinée, même si nous gardons une vraie nostalgie pour la *pecan pie* américaine. Même si, il faut l'avouer, cette « *pie* » n'est vraiment que du sucre, ou presque (avec de la mélasse et de la pâte sablée). Soit au moins 4 000 calories par tranche ! N'y pensez plus. Savourez votre chère petite noix de pécan en entrée, c'est très bien comme ça. Au fond, rien n'est plus vulgaire qu'une explosion de sucre bêtement incontrôlée en fin de repas, non ? Vous êtes une diva, très zen, ne l'oubliez pas.

Pour 2 personnes

· 2 poivrons rouges
· 1 poivron jaune
· 4 feuilles de menthe fraîche
· 5 ou 6 noix de pécan
· 1 yaourt velouté
· 1 pincée de fleur de sel

Préchauffer le four à 150 °C. Laver les poivrons et les mettre au four, enroulés dans une feuille d'aluminium. Cuire pendant 1 h. Attendre qu'ils refroidissent en les laissant dans le papier d'aluminium, puis enlever leur peau et les couper en morceaux. Battre le yaourt avec la fleur de sel. Faire griller à sec les noix de pécan dans une poêle. Dresser sur 2 petites assiettes le yaourt, les poivrons et les noix de pécan. Parsemer de menthe fraîche et déguster bien frais.

Papillons au saumon cru et à l'orange

Les pâtes, tout le monde aime. Il n'y a pas plus inspirant en cuisine. Inutile de culpabiliser, elles sont vos alliées tant que vous les mangez en quantité raisonnable. À ce propos, comment choisir la bonne quantité ? Il existe un ustensile pour mesurer les parts de spaghettis. Certaines font un cercle entre le pouce et l'index, d'autres soupèsent avec le poignet. Mais les torsadettes, on en fait quoi ? Et les coquillettes ? Nous préconisons la méthode « au pif ». Vous prenez une quantité au hasard, celle que vous jugez bonne pour le nombre de convives. Comme vous savez que votre instinct vous guide sans doute généreusement et que personne ne risque de mourir de faim, vous vous ravisez à la dernière minute : un petit peu moins que prévu, c'est toujours suffisant ! Cette salade est très originale et parfumée.

Pour 2 personnes

· 250 g de pâtes papillons
· 200 g de saumon cru
· 3 oranges
· 3 c. à s. d'huile d'olive
· baies roses
· aneth
· sel

Faire cuire les pâtes en suivant les indications portées sur le paquet. Pendant ce temps, couper le saumon cru en dés. Peler 2 des oranges à vif en enlevant bien toutes les petites peaux. Presser le jus de la troisième orange. Dans un saladier, mettre les oranges et les dés de saumon puis ajouter le jus d'orange, l'aneth, les baies roses et du sel. Dès que les pâtes sont cuites et égouttées, les mettre dans le saladier, ajouter l'huile d'olive et bien mélanger. Servir tiède.

Variante

On peut ajouter de grosses olives pimentées, mais ce sera moins léger !

Salade verte à volonté et sa vinaigrette maltée

Voilà une assiette jardinière, potagère et maraîchère. Nous aimons nous en préparer une grande portion en dîner du soir, que nous mangeons avec 1 ou 2 tranches de pumpernickel (ce pain allemand très dense) beurré. Cette folie verte est une tendre et croquante ode à la nature. Jubilatoire. Ce qu'on adore, c'est l'opulence, la variété, la générosité du panier. À côté de cela, le sympathique mesclun tout préparé, très à la mode depuis quelques années, a l'air d'un lilliputien. Admirez plutôt : aucune feuille n'a la même forme, la même saveur, la même couleur. Mélangez, tricotez un méli-mélo qui vous sied. Juste essorée, encore frémissante de la rosée qui l'a aidée à pousser, cette salade est une merveille toute simple. La bonne idée, c'est de la servir avec une vinaigrette au malt. La levure maltée, en paillettes, se consomme beaucoup en Alsace. Elle apporte un goût de noisette très appréciable dans la salade, et, de plus, elle est excellente pour la peau.

Pour 1 personne

- assortiment de salades : scarole, laitue, rougette, épinard, sucrine, chicon, roquette, mâche
- herbes fraîches : estragon, coriandre, cerfeuil, ciboulette, persil…
- jeunes pousses : radis, alfalfa, lentilles…
- graines de courge et de tournesol
- 1 échalote
- 1 c. à s. de levure maltée
- 1 c. à c. de moutarde en grains
- 1 c. à s. de vinaigre de vin
- 3 c. à s. d'huile de colza
- 1 c. à s. d'huile de tournesol
- sel et poivre

Laver et essorer toute la verdure. Faire la vinaigrette avec les autres ingrédients et l'échalote. Servir la sauce directement dans l'assiette.

N.B.

En hiver, on peut ajouter des noisettes, des noix, des raisins secs. En été, des fleurs.

Barquettes d'endives aux œufs de saumon

Une très jolie idée pour une entrée simple et saine. Les œufs de saumon sont ces délicieuses petites capsules orangées qui croquent sous la dent, résistent un peu et délivrent leur huile au goût si riche et si prononcé… À ne pas confondre avec les œufs de lump rouges, beaucoup plus petits. Menacé par la pêche intensive, le saumon sauvage reste le meilleur. Ses œufs sont un concentré de protéines, de vitamines et d'oméga 3, « bon » gras, excellent, entre autres, pour la peau. De plus, ils ressemblent à des perles de verre, aux fruits de la grenade, à des billes phosphorescentes. À manger sans modération.

Pour 2 personnes

- 2 endives
- 1 pot d'œufs de saumon
- 150 g de mascarpone
- 1 poignée de roquette
- 1/2 citron (jus + zeste)
- 1 c. à c. de raifort
- sel et poivre

Détacher les feuilles d'endives avec précaution, les passer sous l'eau fraîche puis les sécher avec du papier absorbant. Dans un bol, mettre le mascarpone, le raifort, le jus de citron, le sel, le poivre et bien mélanger afin d'obtenir une texture lisse. Disposer les feuilles d'endives sur les assiettes et garnir de roquette, de mascarpone puis d'œufs de saumon. Parsemer de quelques zestes de citron.

N.B.

Idée de présentation pour un plat collectif : disposer les barquettes en forme de fleurs et inviter chaque convive à se servir avec les mains.

Millefeuille grec

Ici, point de sirtaki, de pompon sur ballerines brodées ou d'Anthony Quinn pour vous charmer en Zorba. Dommage. On adore néanmoins cette entrée sans façons, inventée en un tour de main, un jour d'été. Le petit-suisse remplace avantageusement la feta et, grâce à la menthe et à l'ail, il ne manque pas de personnalité. Cette entrée est si légère qu'elle vous permet de prendre un plat plus roboratif dans le même repas. C'est le principe des vases communicants. Un rien de moins, ici, donne un rien de plus, là. Un mathématicien vous expliquerait cela avec plus de talent. Tout ce que l'on peut dire, c'est que ce millefeuille est mille fois bon.

Pour 2 personnes

- 1 paquet de pain azyme
- 1 concombre
- 4 petits-suisses à 20 % de matière grasse
- 1 gousse d'ail
- 1 jus de citron
- feuilles de menthe
- gros sel
- sel et poivre

Peler et couper le concombre en morceaux puis le faire dégorger avec du gros sel pendant environ 1 h. Le rincer sous l'eau froide et enlever l'eau en le pressant dans une passoire. Dans un bol, mélanger les petits-suisses avec l'ail haché, le jus de citron, le sel, le poivre et beaucoup de menthe coupée finement. Ajouter les concombres et bien mélanger. Prendre 3 tranches de pain azyme, poser la première tranche sur une assiette et étaler le mélange, puis poser une autre feuille de pain azyme et renouveler l'opération. Décorer de feuilles de menthe et de rondelles de concombre. Déguster immédiatement.

N.B.

On ne peut pas vraiment garnir ce plat à l'avance car le pain azyme, très fin, détrempe vite.

Viandes et poissons

Portrait chinois

À de nombreuses femmes, nous avons posé les mêmes questions sur leur poids. Voici quelques-unes de leurs (jolies) réponses.

Si votre poids était
un animal, lequel serait-il ?
Un hippopotame.
Un chat angora.
Une anguille.
Un cheval indomptable.
Une mouette.
Une libellule.
Un paresseux.
Le yeti.

Si
votre poids pouvait
parler, que dirait-il ?
Lâche-moi !
Ça passe ou ça casse.
Il ronronnerait.
Je suis comme je suis.
Tu m'aimes ?
Je me tire.
En garde !
Viva la liberta !

Si votre poids portait
un vêtement, ce serait lequel ?

Un tutu.

Une doudoune.

Un manteau de reine.

Un boa en plumes de cygne.

Une robe lamée écarlate à paillettes.

Un plaid douillet en cachemire.

Une feuille de vigne.

Une armure.

Un bikini.

Si votre poids était un
paysage, que serait-il ?

Des montagnes russes.

Des châteaux en Espagne.

Des collines verdoyantes.

La huitième merveille du monde.

Un accident de chemin de fer
dans le brouillard.

Une grotte oubliée.

La mer calme.

Un volcan.

Poulet croustillant à l'orange sanguine et au gingembre frais

Normalement, c'est le canard que l'on associe à l'orange… Pourquoi s'arrêter aux traditions ? L'important dans cette recette, c'est la croûte du poulet et le rouge de l'orange sanguine. Laissez donc la peau des blancs de poulet à la cuisson. On vous a souvent dit que la peau des volailles est trop grasse. Oui. Mais elle met en valeur la chair et lui permet de cuire sans se dessécher. Ce serait dommage de s'en priver, même si vous ne la mangez pas en entier. Il y a toujours des voix pour vous dire qu'il vous faut retirer ceci, ou cela… Nous pensons qu'il faut « y aller » jusqu'au bout et s'offrir le luxe bien innocent d'un bon poulet fermier tendre, enveloppant et moelleux. La dentelle craquelée de la peau fait partie du tableau. Servez avec une petite salade d'herbes et on n'en parle plus. Miam !

Pour 2 personnes

· 2 cuisses et 1 blanc de poulet
· 2 oranges sanguines non traitées
· 1 morceau de gingembre frais
  de la taille d'1 pouce
· sel et poivre

Préchauffer le four à 180 °C. Frotter la peau et le blanc de poulet avec le morceau de gingembre épluché. Prélever des bandes de zestes d'orange avec un couteau économe puis presser le jus. Mettre le poulet dans un plat à four, ajouter les zestes et le jus d'orange. Détailler le gingembre en tout petits morceaux. Les piquer dans la peau du poulet. Cuire au four pendant environ 20 min ou jusqu'à ce que la peau soit bien croustillante. Saler puis poivrer.

N.B. : ne pas ajouter d'huile, quoi qu'il arrive.

Rillettes de lapin aux abricots et noisettes

Les rillettes ne sont pas les amies de la légèreté. Elles sont un peu désuètes aujourd'hui, avec leur texture ultragrasse servie à la louche en saladier. Ambiance bistrot PMU. *Too much,* **pas notre truc. Les inconditionnels nous pardonneront, mais nous préférons cette version, fruit de nombreux essais, car nous aimons le lapin et nous voulions lui rendre hommage. La viande fondante, les abricots sucrés et fruités, la noisette, le thym… Tout est parfaitement à sa place. Vous pouvez les servir sur une grande feuille de laitue iceberg en guise d'assiette. C'est mignon comme tout. Comme les lapins.**

Pour 2 personnes

- 400 g de râble (dos) de lapin
- 150 g d'abricots secs
- 3 brins de thym frais
  ou 1 sachet de tisane au thym
- 50 g de noisettes entières
- 2 c. à s. d'huile d'olive
- sel et poivre

Faire gonfler les abricots dans un gros bol d'eau chaude avec 2 brins de thym ou le sachet de tisane. Faire revenir dans l'huile d'olive les morceaux de lapin puis ajouter les noisettes, les abricots avec l'eau parfumée au thym et le troisième brin. Laisser mijoter pendant environ 1 h 30. Surveiller la cuisson et rajouter de l'eau si nécessaire. Il faut que le lapin soit fondant et se découpe à la cuillère. Laisser tiédir (on constate d'ailleurs à ce moment que ce plat n'est pas très gras). Enlever consciencieu-sement tous les petits os, puis écraser grossièrement avec une fourchette. Les rillettes sont prêtes.

N.B.

N'insistez pas sur les jolis petits lapins avec vos enfants…

Mignon de porc à la cuillère et marmelade de prunes aux épices

Ce que nous trouvions joli, c'était le nom. Sans en avoir mangé beaucoup dans l'enfance, on en a la nostalgie… On sait que c'est bon. Et ça l'est. Mignon, rien qu'à prononcer le mot, on est contente. Comment l'accommoder pour le mettre en valeur ? Le mariage avec la prune fonctionne très bien, elle lui confère un air automnal, réconfortant. Ce qui « fait » la recette, c'est la cuisson lente et à feu très doux. La viande devient toute tendre, à la façon du gigot dit « de 7 heures ». Fondante, presque décomposée. Elle change de densité. Et vous vous régalez.

Pour 2 personnes

- 400 g de mignon de porc
- 500 g de prunes bien mûres
- 1 c. à c. de mélange quatre-épices
- 1 c. à c. de graines de moutarde
- 1 c. à c. de poivre noir en grains
- 2 clous de girofle
- 1 c. à s. d'huile d'olive
- sel

Couper la viande en morceaux et la faire revenir avec l'huile d'olive dans une sauteuse pour qu'elle soit saisie de chaque côté. Ajouter les prunes lavées et dénoyautées, puis les épices et du sel. Cuire à feu doux pendant environ 1 h. Surveiller et remuer de temps en temps, car il faudra ajouter un peu d'eau lorsque les fruits auront rendu complètement leur jus.

N.B.

Cette recette est meilleure si les fruits sont bien mûrs et sucrés. S'ils sont un peu verts, ajouter un peu de sucre ou 1 c. à s. de miel. L'utilisation de graines de moutarde, qui se trouvent au rayon épices des supermarchés, parfume le plat et lui donne un petit goût piquant.

Cailles laquées au citron

Manger quelque chose « en entier » est un plaisir immense et une très bonne astuce pour se faire plaisir. Tout produit qui prend du temps à être mangé (artichaut, crabe, caille…) vaut la peine d'être considéré comme une option intéressante quand votre objectif est de manger moins. Élémentaire, mon cher Watson. Vous sentez que vous mangez plus. Alors que l'autre vieille ruse, qui consiste à vous conseiller de manger tout sur des assiettes plus petites, vous donne simplement la certitude que vous mangez peu. La chair des cailles rappelle celle du gibier. Comme Obélix devant un sanglier rôti, vous mâchez, vous croquez, vous vous léchez les doigts. Rassurez-vous, ces cailles-là ne feront pas de vous un chef gaulois : elles sont mignonnes et même, oserait-on aller jusque-là, féminines.

Pour 3 personnes

- 3 cailles
- 2 c. à s. de miel
- 3 c. à s. de vinaigre de cidre
- 2 c. à s. de thym frais
  + quelques brins
- 2 citrons
- 1 c. à c. de poivre noir en grains

Préchauffer le four à 180 °C. Aligner les cailles dans un plat. Mélanger le miel avec 2 c. à s. de vinaigre et un peu de thym frais, puis laquer les cailles à l'aide d'un pinceau. Couper 1 citron en fines lamelles et déposer celles-ci sur les cailles. Couper l'autre citron en quartiers et en farcir les cailles. Décorer avec les branches de thym et le poivre en grains. Cuire au four de 20 à 25 min. À la sortie du four, déglacer avec la dernière c. à s. de vinaigre. Servir et déguster avec une salade de roquette croquante et poivrée.

Tartare de bœuf poêlé à la thaïe

Tout le monde n'aime pas le tartare, aussi cette version très vite cuite est-elle un compromis intéressant. Ce qui compte, c'est la qualité de la viande. Fuyez l'approximatif. Vous avez sûrement un bon boucher près de chez vous... Sinon, c'est le moment de faire connaissance. N'écoutez pas les oiseaux de mauvaise augure : la viande rouge, c'est bon. Pas besoin d'en manger tous les jours, c'est tout. Elle est riche, pleine de fer. Rappelez-vous le bifteck que votre maman vous donnait pour lutter contre l'anémie qu'elle avait cru déceler sur vos joues rose pâle.

Pour 2 personnes

- 300 g de viande de bœuf hachée très fraîche
- 2 échalotes
- 1 bouquet de coriandre fraîche
- 1 branche de citronnelle fraîche
- 1 c. à c. de poivre en grains
- 4 feuilles de basilic asiatique
- 1 c. à s. d'huile d'olive
- 2 c. à s. de gros sel
- quelques gouttes de piment rouge liquide
- sauce soja
- fleur de sel

Couper finement la coriandre, la citronnelle et les échalotes et mettre le tout dans un bol, en réservant un peu de coriandre hachée. Ajouter l'huile d'olive, un peu de sel, le poivre en grains et le basilic haché. Bien mélanger et ajouter ce mélange à la viande. Le diviser en 3 parts égales. Mettre le gros sel sur une poêle à gril et le faire chauffer à feu vif. Quand le sel saute, déposer la viande sur le gril. Cuire pendant 1 min de chaque côté. Déguster immédiatement, avec de la sauce pimentée, la coriandre mise de côté, la fleur de sel et la sauce soja.

N.B.

Sortir son gril est parfois fastidieux, alors... Tout cru, mariné pendant 10 min, c'est un vrai délice. Ça change du tartare habituel. C'est plus digeste et exotique.

Dos de cabillaud à la vanille poché au thé

Tout est dans la cuisson. D'après nous, le poisson doit être parfait ou ne doit pas être du tout. Pas d'intermédiaire, pas d'à-peu-près. Oubliés, les filets frits au beurre ; oubliée, la chapelure qui n'apporte rien. Adieu aussi le poisson gigantesque et caoutchouteux cuit à la poissonnière (cadeau de mariage qui vous faisait rêver à l'époque, car symbole de la formidable maîtresse de maison que vous alliez devenir). De toute façon, cet énorme animal aux yeux globuleux était trop compliqué à servir, une fois réduit en charpie. Ici, le dos de poisson est une découpe parfaite, car charnue et consistante. Pochée dans le subtil bouillon, sa chair blanche reste ferme, mais tendre et fine. À servir avec un peu de riz basmati ou, mieux encore, quelques petits pois de printemps passés au blender… Une sophistication de rêve.

Pour 2 personnes

· 2 dos de cabillaud
· 2 c. à s. de crème fraîche allégée ou de crème de soja
· 1 c. à c. de thé Earl Grey
· 1 gousse de vanille
· 1 c. à s. de vinaigre doux

Remplir d'eau à mi-hauteur une grande casserole et ajouter le thé, le vinaigre ainsi que la gousse de vanille fendue en deux. Quand le mélange frémit, pocher les dos de cabillaud et réduire le feu. Cuire doucement en faisant frémir, sans bouillir, pendant 10 min. Dans une autre casserole, verser la crème et 2 c. à s. de bouillon et y gratter les grains de vanille subsistant sur la gousse. Quand elle est chaude, en napper le poisson et déguster bien chaud avec une salade.

Rôti de thon rouge
en croûte de sésame doré

Dans le vaste monde des poissons, le thon est l'équivalent de la viande rouge. Tout le monde sait ça (sauf peut-être le thon lui-même). D'où l'idée de le cuire comme un rôti, la barde en moins, et de le manger presque « saignant ». Demandez à votre poissonnier (un autre de vos copains, depuis le temps) de le préparer comme un rôti traditionnel, dans le sens de la chair. Il doit avoir l'air d'un gros boudin, rond et dodu comme un sushi (pas un sumo). S'il est bien saisi à four chaud, le cœur reste cru et c'est ce contraste qui est délicieux.

Pour 2 personnes

· 400 g de rôti de thon rouge
· 2 c. à s. d'huile de tournesol
· 1 c. à c. de miel
· 4 c. à s. de sésame
· 1 c. à s. d'huile de sésame
· 1 pincée de piment en poudre
· sauce soja (facultatif)

Pour les amateurs de sensations fortes, ajouter du wasabi, cette pâte verte au raifort japonais, ou quelques grains de piment langue d'oiseau dans la sauce soja. À servir avec une petite salade de chou blanc et de concombres hachés très fin.

Préchauffer le four à 200 °C. Mélanger dans un bol l'huile de tournesol, le miel et le piment puis ajouter le sésame. Faire une pâte et y rouler le rôti de thon. Déposer ensuite le poisson dans une feuille d'aluminium et l'emballer dans une papillote. Cuire au four pendant environ 8 min. Il faut que la croûte soit saisie et que l'intérieur du thon reste encore rouge. Verser l'huile de sésame et servir aussitôt.

N.B.

Sur la photo, le thon a été préparé en portion individuelle. Dans ce cas, diminuer la cuisson (environ 5 min).

Sauté de petits calamars poivre et sel

Comme pour les petites cailles, quel plaisir d'identifier un aliment en entier, dans le costume que Mère Nature lui a donné ! Nous avons toujours aimé les petits tentacules, les pattes, les ventouses des calamars… Ils ont une allure amusante qui évoque l'univers de Jules Verne. Et puis c'est inspirant de manger un produit qui ressemble à quelque chose ! Demandez à votre poissonnier leur jour de pêche ou d'arrivage, car plus ils sont frais, plus ils sont exquis. Impeccables.

Pour 2 personnes

- 400 g de calamars
- 1 gousse d'ail
- 1 c. à s. d'huile d'olive
- 1 c. à c. de ras el hanout
- 2 pincées de fleur de sel
- poivre noir du moulin

Faire revenir l'ail coupé en petits morceaux dans une poêle en fonte bien chaude avec l'huile d'olive, puis ajouter les calamars et le ras el hanout. Cuire pendant 5 min à peine, en remuant constamment. Jeter la fleur de sel en pluie et poivrer abondamment.

N.B.

Le ras el hanout est l'épice marocaine par excellence. Il met en valeur les calamars, qui sont souvent un peu neutres au goût. Variez les espèces, il en existe des violacés de toute beauté… Servir avec une purée de courgettes ou avec du riz.

Raclette légère

Ah ! La raclette ! Un soir de sports d'hiver, quand on a eu bien froid aux doigts, que le vin blanc vous fait oublier les kilomètres parcourus à pied avec les godillots de ski jusqu'aux fichues cabines… Ça, c'était avant. Nous sommes fières de cette raclette, car elle est plus urbaine et tout aussi ludique. Sans l'effet chape de plomb sur l'estomac. Mettez le gril à fond et amusez-vous avec les fines lamelles de tout ce que vous avez sous la main. Rangez les moufles, cette raclette-là sera plus propice au port du maillot de bain.

Par personne

- 60 g de fines lamelles de bœuf
- 2 c. à s. de sauce teriyaki
- 3 petites tomates
- 2 pommes de terre de type ratte
- petits oignons aigres-doux
- 2 champignons de Paris
- raisins noirs
- groseilles
- poivre
- assortiment de sauces
  (sauce soja, Tabasco…)

Faire mariner les lamelles de bœuf dans la sauce teriyaki avec un peu de poivre pendant au moins 4 h. Préparer des petits bols de chaque ingrédient coupé en petits morceaux. Chacun placera à sa guise les morceaux de fruits, de légumes et de viande dans les coupelles et les fera griller dans l'appareil à raclette.

N.B.

La sauce teriyaki est une marinade japonaise très parfumée, qui se trouve en supermarché au rayon exotique.

Petits plats complets
sans viande

Tuyaux

Pour me motiver quand je n'arrive pas à me mettre au régime, je m'organise une sorte de week-end spa. J'envoie les enfants et mon mari chez les grands-parents et je me dorlote : bain, gommage, pédicure, etc. Je bois du thé vert, je dors beaucoup. En général, ça marche. Quand je me sens belle, je mange plus sain.
Une apprentie starlette

Après un écart trop important, je fais une journée fromage blanc à 0 % et je bois des litres de tisane.
Une belle des champs

Je choisis systématiquement les restaurants japonais pour mes repas d'affaires. Je prends une petite bière nippone, elle est délicieuse et légère. Pareil pour mes dîners galants.
Une businesswoman et une amoureuse attentionnée

Par périodes, je ne
mange que des steaks hachés
matin, midi et soir, pendant une
journée ou deux. C'est tout de
même meilleur que les sachets de
protéines. Et j'assaisonne avec des
épices différentes. Pas d'huile.

Une carnivore

La journée
pommes à volonté.
Drastique. Efficace.
Tentant.

Ève

Toutes les semaines,
je fais une journée liquide :
soupe, tisane, jus de citron au
miel. Et une fois par mois une
journée où tout est permis. C'est
un peu gargantuesque, mais ça fait
du bien. En fin du compte,
mon poids est très stable.

Une excessive

J'ai
appris à dire non.
Vraiment : « Non merci, pas
pour moi, je conduis. Merci,
mais je n'ai plus faim. Ça ira
comme ça. C'est délicieux, mais je
cale. Je vais m'arrêter là. »

Une négative qui met les
points sur les « i »

Pâtes complètes salsa verde

La *salsa verde* **est une légende. Chaque chef italien a sa recette, chaque** *mama* **son secret. Le meilleur, évidemment. Elle est rare au menu des restaurants italiens, ce qui augmente son mystère, comme si c'était un plaisir qui ne peut être partagé qu'en petit comité. La première fois qu'Aimée en a mangé, c'était… en Angleterre, chez une amie qui la fait d'après un vieux livre de cuisine vénitienne. Une révélation. Quand on y a goûté, on ne l'oublie jamais. Elle doit être émulsionnée à la perfection et se passe, selon nous, de fromage. Mais l'amour du parmesan ne se discute pas. Ne vous fiez pas à son apparence verte et douce : c'est une sauce corsée. Ah !** *Salsa, ti amo.* **Et ça change des tomates.**

Pour 2 personnes

- 200 g de pâtes complètes
- 150 g de roquette
- 3 feuilles d'estragon frais (facultatif mais génial)
- 30 g de pignons de pin
- 3 c. à s. de crème d'anchois
- 3 c. à s. de câpres
- 1 cornichon croquant
- 1 gousse d'ail
- huile d'olive fruitée
- sel et poivre

Mixer au robot la roquette, les pignons, la crème d'anchois et les câpres avec l'huile en filet, comme pour faire une mayonnaise. Incorporer le reste des ingrédients, sauf les pâtes. On obtient une pâte verte et brillante. Si elle est trop épaisse, ajouter de l'huile. Goûter et rectifier en ajoutant, au besoin, anchois, roquette ou câpres. Cuire les pâtes *al dente* et y incorporer la sauce au moment de servir. Bien mélanger : les pâtes doivent en être bien enrobées.

N.B.

Petite querelle d'auteurs : Stéphanie préfère avec beaucoup de roquette, Aimée est dingue d'anchois…

Dahl de lentilles roses et curry de légumes

Deux recettes inséparables, car l'association de légumes secs et de céréales (ou de graines oléagineuses) fournit au corps tous les acides aminés nécessaires à la fabrication de protéines dites « complètes ». Trop lourd pour un régime, d'après vous ? Au contraire ! Cela donne à votre organisme une combinaison de fibres et de protéines assimilables dont il a grand besoin. Et, à vous, l'immense plaisir d'être rassasiée. C'est essentiel. On retrouve cette intéressante combinaison dans de nombreuses cultures, pensez-y sans complexes : tacos de maïs aux haricots rouges, pois chiches et couscous, falafels et pita, houmous et naan…

Pour 2 personnes

Pour le dahl de lentilles
- 200 g de lentilles roses
- 3 tomates
- 1 oignon
- 1 feuille de laurier
- 2 c. à c. de curcuma
- 2 c. à c. de coriandre en poudre
- 1 c. à c. de moutarde en grains
- 1 c. à s. d'huile d'olive
- 6 brins de coriandre fraîche
- sel

Pour le curry de légumes
- 2 pommes de terre
- 2 courgettes
- 1 fenouil
- 1 oignon
- 1 carotte
- 8 noix de cajou
- 50 cl de lait de coco
- 1 c. à c. de coriandre en graines
- 1 c. à c. de cardamome moulue
- 2 c. à s. d'huile
- sel et poivre

Pour le dahl, faire cuire les lentilles pendant environ 20 min dans de l'eau froide avec un peu de sel, l'oignon et le laurier. Peler et épépiner les tomates puis les faire revenir dans une casserole avec l'huile. Ajouter les épices, puis les lentilles cuites et égouttées. Cuire encore pendant 10 min et parsemer de coriandre fraîche.

Pour le curry, laver et couper les légumes en petits morceaux. Faire revenir les oignons à l'huile dans un faitout avec les épices et ajouter les légumes ainsi que le lait de coco et les noix de cajou. Cuire pendant 30 min à feu doux et à couvert. Assaisonner de sel et de poivre si nécessaire.

Houmous rouge

L'houmous va avec tout. Nous recommandons d'en avoir toujours sous la main. Une petite cuillerée en accompagnement, et il ensoleille le riz complet aux légumes ou la pita-ratatouille. Les pois chiches, eux, sont bourrés de fer, de fibres, de potassium, de vitamine B1. Et ils sont sublimement bons. Selon nous, c'est le péché mignon du couscous (avec les raisins secs, mais c'est une autre histoire). Leur chair farineuse est consistante et sert de base à la cuisine méditerranéenne. On en fait même de délicieuses pâtisseries. Cet houmous-là est à tomber par terre, tellement il est bon. Laissez-lui son autonomie : il est végétarien par essence. Pas de viande à l'horizon.

Pour 1 bol d'houmous

- 250 g de pois chiches déjà cuits (en boîte par exemple)
- 4 c. à s. d'eau des pois chiches
- 1 gousse d'ail
- 1 grosse betterave cuite
- 2 c. à s. d'huile d'olive
- huile de sésame
- sel et poivre

Mixer les pois chiches, l'ail épluché et la betterave avec l'huile d'olive et l'eau des pois chiches jusqu'à l'obtention d'une texture lisse et rouge rose. Ajuster la consistance (elle peut varier en fonction de la qualité et de la cuisson des pois chiches) en ajoutant, au besoin, un peu d'eau. Verser un filet d'huile de sésame, du sel et du poivre. Déguster sur une galette de céréale chaude achetée toute faite ou sur la galette de flocons d'avoine proposée au chapitre petit déjeuner (p. 44).

Fleurs de polenta
et coulis de ratatouille rapide et pimentée

On ne connaît pas vraiment l'origine de la polenta. Deux écoles se disputent à ce sujet. Rome antique ou Amérique précolombienne ? Elle est faite avec la farine du maïs et a été redécouverte dans les cuisines contemporaines pour ses valeurs nutritives, son goût de noisette et son aspect pratique. Elle est très appréciée des enfants et peut être accommodée de mille façons. À partir de cette recette de base, vous pouvez jouer avec sa texture « pâte à modeler » et en faire des bâtons, des fonds de tartes, des galettes. Nous recommandons cette version au bouillon, mais on peut aussi la préparer avec du lait écrémé et un peu de fromage râpé.

Pour 2 personnes

· 200 g de polenta
· 50 cl d'eau
· 1/2 bouillon cube de légumes
· 2 courgettes
· 1 petite aubergine
· 3 tomates
· 1 gousse d'ail
· 1 c. à c. de purée de piment
· sel et poivre

Faire cuire les courgettes et l'aubergine dans de l'eau bouillante salée pendant 10 min. Les égoutter et les mettre dans une casserole en ajoutant les tomates crues pelées, l'ail épluché et le piment. Écraser le tout à la fourchette, saler, poivrer et cuire pendant 5 min à feu doux. Pour la polenta, faire chauffer de l'eau selon les indications portées sur le paquet dans une casserole avec le demi-cube de bouillon de légumes. Quand l'eau bout, ajouter la polenta en pluie. Cuire pendant quelques minutes, puis la verser sur une planche de façon à former une plaque de 2 cm d'épaisseur. Prélever des formes à l'aide d'un emporte-pièce. Servir avec la ratatouille.

Lasagnes de courgettes coulantes et crémeuses

Voilà exactement ce qu'on rêve de manger un soir de printemps. C'est un petit plat simple comme nous les aimons. Le poivre rose lui donne tout son caractère. Servez-le avec une salade d'herbes croquantes au basilic, c'est l'idéal. Attention tout de même au choix de la mozzarella. S'il y a un produit qui mérite d'être acheté dans toute son excellence, c'est elle. La chair doit être blanche, filandreuse, imbibée du petit-lait dans lequel elle est vendue. À éviter absolument, donc, les blocs caoutchouteux vendus hélas un peu partout et qui sont à la mozzarella di Buffala ce que Richard Clayderman est au piano. *Exit.* **Si vous n'avez pas de petite épicerie italienne digne de ce nom en bas de la rue, ne faites pas cette recette. Ou changez de rue.**

Pour 2 personnes

- 2 courgettes
- 125 g de mozzarella
- 2 c. à s. de baies roses
- sel et poivre

Couper les courgettes en lamelles ni trop épaisses ni trop fines sans les éplucher. Faire bouillir de l'eau avec du sel et y jeter les courgettes. Laisser cuire quelques minutes — il faut qu'elles restent *al dente*. Préchauffer le four à 180 °C. Bien égoutter les courgettes. Couper la mozzarella en tranches moyennes. Dans un plat allant au four, alterner les couches de courgettes et de mozzarella. Parsemer de baies roses, poivrer et cuire au four pendant environ 10 min. Déguster bien chaud.

Variantes

On peut aussi manger ce plat froid, cela donne une sorte de sandwich rafraîchissant. On peut rendre ce plat plus festif en le servant froid avec un petit coulis d'ananas, réalisé en mixant le contenu d'une petite boîte d'ananas, réchauffée et réduite à la casserole pendant 5 min à feu moyen.

Couscous aux fruits secs
et bouillon de harissa

En principe, la semoule de couscous doit être trempée puis cuite à la vapeur, mais notre méthode rapide fait très bien l'affaire, même si elle déplaît un peu aux puristes. Quoi de plus pur, rond et « doudou » que la semoule de couscous bien gonflée et moelleuse ? Elle remplace avantageusement le riz dans beaucoup de recettes ou d'accompagnements. Mais, comme toute chose simple et sublime, elle est parfaite aussi nature, avec un peu de beurre salé. S'il est vrai que le beurre convient bien à sa rondeur enfantine, ici, l'huile d'olive fait merveille. Et le mélange sucré/salé aussi.

Pour 1 personne

- 1 verre de couscous moyen
- 1 c. à s. de pois chiches cuits
- 1 c. à s. de raisins blonds secs
- 1 c. à s. de pistaches
- 2 dattes fraîches et dénoyautées
- 1 c. à s. d'huile d'olive
- 1 c. à c. de cannelle en poudre
- 1 bol de bouillon de légumes
  (à partir de bouillon cube)
- 1 c. à c. de harissa
- sel

Faire chauffer 1 verre d'eau avec un peu de sel, l'huile d'olive et la cannelle. Ajouter le couscous et laisser gonfler pendant 5 min à couvert. Ajouter les pois chiches et les fruits secs (raisins, pistaches, dattes) coupés en morceaux ou rapidement concassés au mixer. Servir chaud avec un bol de bouillon de légumes assaisonné de harissa.

Variante

On peut jeter quelques feuilles de menthe fraîche dans la préparation.

Penne en colère

À reformuler en évitant le « je », si possible. Les penne à l'arrabiata (version originale de cette recette) sont ce que nous commandons toujours dans les restaurants italiens. C'est un choix raisonnable devenu une habitude rassurante pour notre ligne. Parfois, les Italiens y ajoutent une touche de vin blanc, mais cela ne nous semble pas indispensable. Rien que l'immense plaisir d'avoir la bouche en feu et les oreilles qui chatouillent au rouge taquin des piments, c'est bien. La simplicité de la recette donne en tous les cas l'impression qu'elle est légère et digeste. Et puis, son nom qui défoule (tout un symbole) fait sourire. Qui est-ce qui est donc en colère ? Les pâtes ? Les femmes au régime ? Contre les prétendus interdits ? Contre les rondeurs ? Allez savoir… *Buon appetito !*

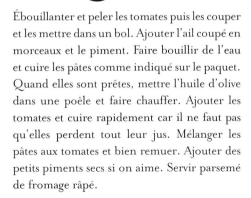

Pour 2 personnes

- 200 g de penne complètes
- 4 tomates
- 1 gousse d'ail
- 1 c. à c. de piment
- 1 c. à s. d'huile d'olive
- 2 ou 3 petits piments rouges
- pecorino frais râpé
  (ou parmesan)

Ébouillanter et peler les tomates puis les couper et les mettre dans un bol. Ajouter l'ail coupé en morceaux et le piment. Faire bouillir de l'eau et cuire les pâtes comme indiqué sur le paquet. Quand elles sont prêtes, mettre l'huile d'olive dans une poêle et faire chauffer. Ajouter les tomates et cuire rapidement car il ne faut pas qu'elles perdent tout leur jus. Mélanger les pâtes aux tomates et bien remuer. Ajouter des petits piments secs si on aime. Servir parsemé de fromage râpé.

Chou rouge aux pommes et aux châtaignes

Un dimanche d'automne. Il fait nuit tôt, on vient de passer à l'heure d'hiver. Vous avez envie de quelque chose de bon. Vous ne savez pas vraiment quoi. Cette recette est ce qu'il vous faut. Réconfortante, enveloppante, parfumée… Elle nous évoque l'Alsace, l'odeur des chiens mouillés et la terre de la forêt. Même si vous n'avez pas tout cela sous la main, essayez-la. Dès la première bouchée, elle vous emballera. La texture farineuse de la châtaigne et l'acidité moelleuse du chou vont très bien ensemble. En cuisine, c'est comme en musique, ce qui compte, c'est autant le fond que l'atmosphère et l'humeur personnelle. La juste association. On n'a pas toujours envie d'une symphonie de Mahler au réveil ou d'un rock endiablé pour un dîner en amoureux.

Pour 2 personnes

· 1 petit chou rouge
· 2 pommes
· 150 g de châtaignes en boîte
· 1 c. à s. d'huile d'olive
· 1 c. à s. de vinaigre de miel ou doux
· sel et poivre

Couper le chou rouge en morceaux et le faire revenir avec l'huile d'olive dans une Cocotte-Minute. Fermer la cocotte et cuire pendant 5 min. Pendant ce temps, éplucher les pommes et les couper en quatre. Mettre la cocotte sous l'eau froide pour l'ouvrir et ajouter les pommes, les châtaignes et le vinaigre de miel (qui réduira l'acidité, *dixit* tante Hélène). Fermer la cocotte et cuire à nouveau pendant 5 bonnes minutes, puis saler et poivrer.

N.B.

C'est meilleur quand le chou reste ferme.

Légumes grillés sur lit de gros sel et herbes

C'est LA bonne idée. Toute simple, inratable et imparable. Le gros sel parfumé aux herbes exhale la saveur des légumes, aide à les cuire à la perfection et leur donne un air de barbecue ou de feu de bois. Plat unique, parfait pour un repas du soir. Effet chimique de la cuisson « de l'intérieur » qui conserve l'humidité sans dessécher. Les pommes de terre se font *baked potatoes* avec leur peau noircie et leur chair tendre comme un bonbon.

Pour 2 personnes

· 2 ou 3 petites pommes de terre
· 1 grosse tomate
· 1 oignon
· 1 poivron
· 1 courgette
· 1 poignée de gros sel marin
· 1 c. à s. d'herbes de Provence
· quelques grains de poivre noir

Préchauffer le four à 180 °C. Tapisser un plat avec le gros sel et les herbes et y déposer les légumes en coupant les plus volumineux en gros morceaux et sans éplucher les pommes de terre. Cuire au four pendant une vingtaine de minutes. La chair des pommes de terre doit être fondante et la peau ferme et croquante.

N.B.

À compléter si vous en avez envie avec 1 aubergine, 1 bulbe de fenouil et quelques carottes nouvelles coupées.

Desserts et douceurs

Et si vous faisiez…

En un mot comme en cent : avouons-le, nous n'aimons pas le sport en salle. Nous avons, bien sûr, été inscrites dans des clubs variés… où nous n'utilisions pour finir que le hammam, après une piètre séance d'abdos. Cela nous a toujours paru fastidieux et propice à une promiscuité trop transpirante. Sans parler du maillot en Lycra qui rentre dans les fesses dès qu'on bouge et qui n'était pas notre meilleur atout.

Il paraît, cependant, que l'exercice est bon pour tout le monde. Voici quelques suggestions, en vrac. Certes, elles sont un peu farfelues, mais elles vous donneront peut-être des pistes et surtout l'idée que bouger, cela peut se faire de multiples façons.

du hockey sur glace

du kayak

du jumping

du karaté

du foot américain

du tir

du water-polo

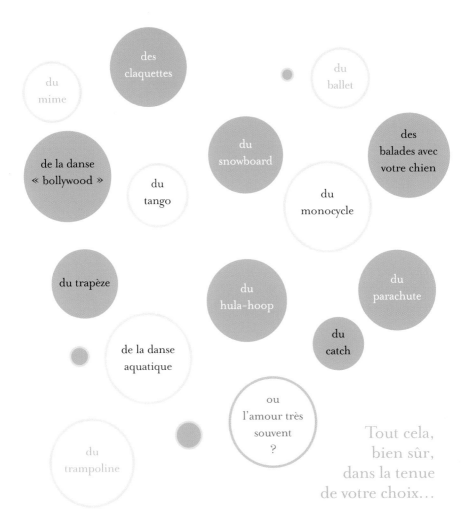

du mime

des claquettes

du ballet

de la danse « bollywood »

du snowboard

des balades avec votre chien

du tango

du monocycle

du trapèze

du hula-hoop

du parachute

du catch

de la danse aquatique

ou l'amour très souvent ?

du trampoline

Tout cela, bien sûr, dans la tenue de votre choix…

Soupe de pêches et d'abricots au safran

C'est à peine une recette. Juste une belle idée, faite en un tour de main, un concept rêvé puis réalisé comme un tour de magie express. Le précieux pistil de safran a d'autres usages que la paella : en voici la preuve. Ce dessert d'été est très subtil et rafraîchissant. Le blender est formidable, car lui seul vous procure ce mousseux, tout en « brisant la glace » à la perfection. À servir dans de jolies coupelles ou, comble de la sophistication décalée, dans de bons vieux verres de type Duralex. La jolie couleur dorée de ce dessert vous le confirmera : c'est un bijou. Exquis avec une coupe de champagne. Soyons fous.

Pour 2 personnes

- 5 pêches jaunes bien mûres
- 4 abricots mûrs
- 3 glaçons
- 1 pincée de safran en pistils

Peler les pêches. Mixer les fruits avec les glaçons puis ajouter le safran. Donner plusieurs coups brefs avec le blender jusqu'à ce que la texture semble idéale : elle doit être à mi-chemin entre la crème et la soupe. Déguster bien froid.

Variante

Un soir de flemme, on peut utiliser des fruits en conserve. Dans ce cas, éviter de mettre tout le sirop, car il est très sucré.

Petits pavlovas aux fruits rouges

Anna Pavlova fut la *prima ballerina absoluta* **des ballets russes de Serge de Diaghilev. Longue et svelte, d'allure délicate, elle est l'incarnation de la grâce et de la beauté (comme vous).** *La Mort du cygne* **et ses bras immatériels, c'est elle.** *La Sylphide* **aussi. Ce dessert fut créé en hommage à sa sublime légèreté. Nous avons bien conscience qu'il y a du sucre dans la recette, mais il est indispensable à la consistance de la meringue. Stéphanie est intraitable là-dessus : avec de l'édulcorant, la chimie n'opère pas, vous n'obtiendrez pas ce craquant parfait. Il faut ce qu'il faut. En revanche, comme elles sont mini, les tartelettes sont conformes à la règle numéro 2 : quantités raisonnables. Qui, mieux que ces pavlovas, pouvait charmer vos tables d'été ?**

Pour 2 petits pavlovas

· 1 blanc d'œuf
 à température ambiante
· 50 g de sucre en poudre
· 1 pincée de sel
· 2 c. à s. de fromage blanc
 à 40 % de matière grasse
· 1 barquette de framboises
· autres fruits rouges au choix
 (fraises, groseilles…)

Préchauffer le four à 150 °C. Battre le blanc en neige ferme avec le sel et incorporer doucement le sucre. Le mélange doit être bien brillant. Mettre une feuille de papier sulfurisé sur la plaque à four et former 2 petits tas de neige. Les étaler à l'aide d'une cuillère à soupe. Cuire pendant 10 min. Laisser refroidir dans le four, puis garnir de fromage blanc battu et de beaucoup de fruits rouges.

Variante

En hiver, et pour changer, on peut remplacer les fraises par de la pulpe de fruit de la passion et de la mangue mûre en morceaux. Une option exotique de toute beauté et au parfum splendide.

Yaourt glacé aux deux citrons

Le lait concentré sucré, tout le monde connaît. C'est extrêmement… sucré. Et compulsif, quand on aime ça. Qui n'a jamais fini un tube, un soir de blues ? Mais, saviez-vous que son homologue non sucré est un excellent substitut à la crème dans de nombreuses recettes de pâtisserie ou de sauces ? Il est onctueux et doux à souhait. Cette recette est une expérience de chimie assez spectaculaire. Quand vous le démoulez, le yaourt glacé change de texture et de taille à température ambiante ; il rétrécit avant de fondre ! Il se tasse dans un petit bruit pétillant. Seul le lait condensé donne cela ; essayez avec du lait ou du yaourt, vous verrez… qu'il n'y a rien à voir. Si vous avez des compétences en la matière, envoyez-nous l'explication par e-mail, nous serions heureuses de percer le mystère !

Pour 3 yaourts

- I boîte de lait concentré non sucré
- zeste d'I citron vert
- zeste et jus d'I citron jaune
- 2 c. à c. d'édulcorant

Battre au fouet électrique le lait concentré non sucré avec le jus de citron puis ajouter l'édulcorant. Battre encore un peu, puis verser cette crème dans des pots de yaourt vides. Remplir les pots à moitié, car le mélange obtenu va gonfler en refroidissant. Faire durcir au congélateur durant quelques heures. Démouler, ajouter les zestes et déguster aussitôt, car si l'on attend trop, le yaourt revient à l'état quasi liquide.

N.B.

Si on ajoute les zestes en même temps que le jus de citron, le yaourt ne gonflera pas aussi bien.

Petits pots de chocolat intense

Nous revendiquons le droit au chocolat. Nous refusons de nous en priver comme on doit le faire avec certaines choses de la vie sous prétexte qu'une fois qu'on replonge, on ne peut plus s'arrêter. Le chocolat n'est pas le tabac, dieu merci, et nous détestons les adieux définitifs. En voilà donc du dense, du profond, du fort à souhait. Il faut le servir dans une toute petite tasse (l'idéal serait un dé à coudre, mais bon...). Régalez-vous avec un petit café bien fort de type *ristretto* italien. C'est un dessert d'exception, intense comme du bois d'ébène.

Pour 2 petits pots

- 150 g de chocolat noir
  à 80 % de cacao
- 1 c. à s. de lait écrémé
- 15 g de beurre
- 1 jaune d'œuf très frais
- 1 c. à c. de sucre brun
  non raffiné en poudre
- 1 c. à c. de feuilles de thé parfumé

Faire fondre tout doucement le chocolat avec le lait et le beurre, ajouter le jaune d'œuf, le sucre et le thé. Bien remuer et verser dans de petites tasses. Servir à température ambiante.

Ananas grillé au vinaigre balsamique

Appelez-le carpaccio, *antipasto* sucré, feuilles caramélisées ou ce que vous voudrez. Nous, on préfère « ananas grillé ». Ce dessert simplissime est tellement bon, tellement appétissant et original qu'il se passe de nom sophistiqué. Servez-le à un dîner chic et vos convives seront sous le charme. Le vinaigre balsamique ne supporte que la perfection. Choisissez-en un « affiné » de Modène, artisanal. C'est là que le fait d'être copine avec le petit épicier italien en bas de chez vous va vous servir. Il vous conseillera et cela vaut la peine. Les Italiens mettent du vinaigre balsamique sur tout : fraises, glaces, sauces de viandes blanches... Son goût profond et légèrement décadent fait merveille. Nous ignorons, à ce jour, si l'ananas est vraiment le « mange-graisse » qu'on nous a vanté pendant des années. Mais il est unique en saveur et en parfum. C'est le plus important.

Pour 1 personne

- 4 tranches fines d'ananas frais
- 1 verre de vinaigre balsamique

Verser dans une petite casserole le vinaigre et chauffer afin d'obtenir un sirop. Allumer le gril du four, mettre les tranches d'ananas dans un plat et les passer sous le gril quelques min. Les arroser avec le sirop de vinaigre et déguster chaud.

Variante

Une gorgée de rhum blanc, comme un petit saké après le repas, et c'est le paradis. Mais vous n'êtes pas obligée ! Light oblige.

Gâteau de pommes sans beurre

En période un peu restrictive, on a souvent envie d'un gâteau. Mais d'un vrai gâteau, pas de l'un de ces pâles ersatz, mousses fadasses aux fruits sur fausse génoise ou cakes de régime sans consistance en bouche. Celui-ci a vraiment une allure digne des goûters que votre mère vous préparait le mercredi, après une bonne balade. Il est tendre et savoureux. Consistant sans vous étouffer. De là à le déguster avec un bol de chocolat chaud, je vous vois venir… Non, non, soyez raisonnable. Essayez un peu de vanille pour changer, le zeste d'un citron et, pourquoi pas, de la cardamome dans la pâte.

Pour 2 personnes

- 4 pommes à compote (clochards ou reinettes)
- 100 g de farine
- 50 g de sucre roux en poudre
- 1 œuf
- 2 c. à s. de crème fraîche
- 1 pincée de cannelle moulue

Préchauffer le four à 180 °C. Mettre dans un saladier la farine, le sucre, l'œuf et la crème et bien mélanger le tout. Éplucher et couper les pommes en lamelles. Verser la pâte dans un moule et ajouter les pommes. Cuire au four pendant 30 min. Saupoudrer de cannelle. Déguster tiède ou refroidi.

Fondue choc extra-noir

Oui, nous sommes fières d'avoir écrit un livre de cuisine légère qui propose une fondue au chocolat. Aimée avoue que quand Stéphanie a soumis l'idée, elle a douté. Mais réfléchissez : vous aimez le chocolat et vous en avez marre qu'il soit toujours au rang des interdits. Dans cette recette, il apparaît dans le plus simple appareil : fondu, noir et pur. Pas de farine, pas de beurre ou de sucre… Plus léger qu'un gâteau, non ? Pourtant, c'est un vrai dessert, pas juste un petit carré croqué à la va-vite. Vous mangez avec les doigts, vous savourez le mélange chocolat-menthe ou chocolat-orange, dont la réputation n'est plus à faire. C'est simple, c'est voluptueux. Et ça n'est pas un écart hallucinant, tout compte fait. Juste une façon astucieuse et sophistiquée de déguster votre (petite) tablette. Si vous partagez avec votre amoureux, c'est top et ça diminue la quantité de chocolat en deux. Ce qui compte, ne l'oubliez pas, c'est le plaisir. Et puis, vous n'aurez pas l'air de ces filles que les desserts font fuir. Une gourmande, c'est plus mignon.

Pour 1 ou 2 personnes

- 80 g de chocolat noir
- 2 baies roses
- 1 orange
- 4 feuilles de menthe

Peler l'orange à vif en enlevant bien toute la peau, de façon à ne garder que la pulpe du fruit. Laver les feuilles de menthe et les sécher dans un torchon propre. Disposer le tout sur une assiette creuse. Faire fondre le chocolat avec 1 c. à s. d'eau au bain-marie ou au micro-ondes et ajouter les baies roses écrasées au pilon, puis verser dans l'assiette ou dans un petit pot. Déguster sans attendre.

Tartelettes aux deux fruits sans pâte

Historique : été 2005, Stéphanie découvre l'agar-agar, cet extrait d'algue (la *Gracilaria*) **au très fort pouvoir gélifiant. Il est une très bonne alternative à la gélatine animale, bovine pour ne rien vous cacher, qui, depuis la crise de la vache folle, a pris un sérieux coup dans l'aile, ainsi qu'un air louche et peu tentant. Cette tartelette est surprenante. Nous aimons le moelleux futuriste de la fausse pâte à l'ananas et le rouge de la petite Mara des bois, cousine maraîchère de la fraise des bois. Depuis, Stéphanie a mis un peu tout ce qui lui passait sous la main en gelée transparente, mais ça, c'est une autre histoire. Cette recette en étonnera plus d'un et elle est très légère.**

Pour 2 tartelettes

· 25 cl de jus d'ananas
· 2 c. à c. d'agar-agar
· 5 ou 6 feuilles de menthe fraîche
· 250 g de fraises Mara des bois

Porter à ébullition le jus d'ananas avec l'agar-agar et poursuivre la cuisson pendant 2 min. Verser le liquide dans des moules à tartelette et laisser refroidir pour que la gelée prenne. Démouler en décollant doucement les bords d'une pression des doigts. Garnir de menthe fraîche et de fraises.

Sorbet ultrarapide aux litchis et framboises

Il fallait y penser ! Un congélateur suffit pour réussir cette trouvaille. La touche de vodka se marie délicieusement au goût si fin du litchi. La framboise arrive au palais en dernier et se révèle l'ultime plaisir, par son frisson délicat et rose. C'est top.

Pour 2 personnes

- 1 boîte de litchis en conserve
- 2 ou 3 c. à s. de framboises fraîches
- 2 c. à s. de vodka

Mettre la boîte de conserve au congélateur pendant quelques heures (ou la veille). Cinq min avant de servir, sortir la boîte du congélateur, la passer sous l'eau chaude et l'ouvrir des 2 côtés. Sortir le bloc de glace et le mettre dans un blender pour le réduire en petits morceaux. Quand la pâte est homogène, ajouter la vodka et les framboises (sauf quelques-unes, réservées pour la décoration). Mixer à nouveau pendant quelques secondes. Servir dans des coupes ou dans des verres. Décorer avec quelques framboises fraîches, ou mieux encore, un litchi frais.

Variante

La recette est sympathique aussi si vous remplacez les litchis par des poires en conserve.

Pain d'épice tendre au potimarron

C'est un dessert d'automne, original et léger. Il est, évidemment, approprié un jour de Halloween, mais ce n'est pas une obligation, surtout si cette fête, un peu surestimée depuis peu, vous agace… Il a la consistance « mouillée » du *carrot cake* américain. Petit bonus : il ne contient presque pas de farine, car c'est la chair du potimarron qui la remplace. Attention à ne pas confondre ce dernier avec la citrouille ! Ça marche avec de la citrouille aussi, mais c'est un peu moins bien à la cuisson. À déguster, donc, l'un de ces soirs d'octobre où la nuit tombe, où ça sent la châtaigne, les feuilles mortes et les cartables neufs. Une petite cuillerée de crème fleurette à l'édulcorant, et c'est le paradis.

Pour 1 petit cake

- 500 g de potimarron
- 30 g de sucre en poudre
- 50 g de farine
- 2 œufs
- 1 sachet de sucre vanillé
- 1 c. à s. de graines de courge
- 1 c. à c. de macis
  ou de noix muscade moulue
- 1 c. à c. de cannelle moulue

Peler et couper le potimarron en morceaux et le cuire dans de l'eau chaude légèrement salée pendant environ 10 min. Préchauffer le four à 180 °C. Égoutter le potimarron à l'aide d'une passoire afin d'enlever le plus d'eau possible et l'écraser avec une fourchette. Mettre cette mixture dans un bol et ajouter tous les autres ingrédients en mélangeant bien. Chemiser un petit moule à cake de papier sulfurisé et cuire au four pendant 35 min. Servir froid (on sent plus les épices et c'est moins lourd).

N.B.

On trouve des mélanges d'épices à pain d'épice tout préparés. Ils sont très pratiques. Quand vous aurez goûté la recette telle quelle, vous pourrez l'agrémenter : gingembre, cardamome, graines de fenouil ou zestes d'agrumes.

Entremets ultralégers
à la tisane de thym et au yaourt

Ce dessert est un ovni. Sympathique et déroutant. On le découvre avec étonnement, et puis il fond en bouche, il séduit, il paraît même familier. Nous l'adorons et l'avons vraiment adopté. Les fous de sucre seront intrigués, mais ils y reconnaîtront l'acidité lactée du yaourt. Si la surprise est trop déroutante, qu'ils lui ajoutent une cuillerée de sucre… Nous, on le préfère nature. On aime le mélange de la menthe et du thym ainsi que sa divine légèreté. Son petit air vert et tremblotant nous amuse. Essayez-le : il est si utile de savoir changer ses habitudes !

Pour 3 entremets

- 2 yaourts nature à 20 % de matière grasse
- 1 sachet de tisane au thym ou 3 branches de thym frais
- 1 c. à c. d'agar-agar
- 2 gouttes de colorant vert
- quelques feuilles de menthe fraîche

Faire chauffer 2 verres d'eau avec le thym frais ou le sachet de tisane. Ajouter l'agar-agar et cuire pendant 2 min. Mettre la casserole dans un grand saladier rempli de glaçons pour que l'agar-agar refroidisse vite et prenne plus rapidement. Lorsque le liquide est tiède, enlever le sachet de thym ou le thym frais et ajouter le yaourt et le colorant vert. Bien mélanger. Hacher la menthe en petits morceaux et l'ajouter au mélange. Mettre au réfrigérateur au minimum pendant 1 h et déguster bien froid.

Force majeure : la semaine détox

Voici un chapitre qui nous tient particulièrement à cœur. Une ou deux fois par an, nous aimons mettre en pratique cette petite cure choc et douce à la fois, histoire de remettre les pendules à l'heure, de se ressourcer, de se faire du bien. Qu'est-ce qui se cache derrière cet anglicisme ? Une façon de se débarrasser des toxines qui encombrent l'organisme. Qui a besoin de détox ? Tout le monde. Si vous êtes continuellement en train de courir, si vous fumez, si vous ne regardez pas toujours de près ce que vous mangez, si vous êtes éternellement fatiguée, si vous faites souvent des excès… Votre foie n'a pas le temps d'éliminer, de filtrer les déchets que tout cela représente. En d'autres termes, il est pollué, encombré. Il ne peut plus faire son boulot de manière efficace. Il a besoin d'un petit repos. Essayez ! C'est parfait pour démarrer l'année, pour se débarrasser de quelques mauvaises habitudes et embrayer sur les recettes de ce livre comme en vitesse de croisière.

Comment faire ?

Suivez le programme. C'est simple et ça fait un bien fou. Un peu d'organisation pour jouer le jeu à fond et vous verrez que c'est efficace. Durant cette semaine, vous allez vous occuper de votre corps, de votre peau, de votre alimentation, de votre esprit, de votre stress, de votre moral, de votre poids.

Lisez le programme au préalable et faites les courses en conséquence pour avoir tout sous la main. Il va falloir faire le plein de primeurs, de citrons, d'eau minérale, de gingembre, acheter une brosse en crin (en droguerie). Faites une liste, soyez organisée, cela n'en sera que plus agréable. Plutôt que de livrer toutes les idées en un bloc, nous les avons ordonnées en 7 jours. Prenez le temps de bien lire le programme de chaque jour. Personne n'a appris à marcher ou à parler en une seule fois : il est plus efficace de procéder par petites étapes.

Vous y gagnerez un joli teint, une sensation de légèreté, un meilleur sommeil, moins de stress, une prise de conscience sur ce qui vous convient, une énergie toute neuve. Quelques kilos en moins sont aussi une certitude, mais ce sera la cerise sur le gâteau. La semaine détox est à pratiquer occasionnellement, en aucun cas sur une base régulière. Les autres bonnes habitudes sont à conserver selon votre bon plaisir.

JOUR 1 : vous êtes sur le point de commencer une aventure réjouissante.

- Au réveil, prenez 5 min pour vous étirer lentement.
- Testez une douche froide sur les pieds et le bas des jambes, pour la circulation.
- Exfoliez-vous, pour faire respirer la peau.
- Brossez-vous les dents plus souvent.
- Videz vos placards et votre réfrigérateur de toutes les denrées inutiles, trafiquées. Débarrassez-vous de ce qui paraît vieux, rance, plein de pesticides et d'additifs. Rangez l'édulcorant. Lisez les étiquettes.
- Commencez la journée par le jus de 1/2 citron pressé dans 1 tasse d'eau chaude, à jeun. C'est un bon nettoyage de l'organisme et du foie en particulier.
- Remplacez la viande par un poisson gras (saumon, sardine…) à l'un des repas.
- Faites une petite casserole de riz complet et mangez-en dès que vous avez un petit creux, avec un filet d'huile d'olive.
- Mangez des légumes crus ou cuits et des fruits frais au moins 5 fois dans la journée, avec au moins 1 portion de brocoli (riche en fibres et bourré d'antioxydants).
- Si vous êtes fumeuse, décidez du nombre permis de cigarettes pour la journée et du moment précis où vous allez les fumer. Rangez le paquet loin de vos yeux.
- Ne consommez qu'un seul petit café aujourd'hui. Remplacez-le par du thé vert (à volonté). Prenez un simple (et unique) verre de vin si vous en avez envie.
- Achetez-vous un gros et beau bouquet de fleurs coloré.
- Au coucher, faites un bain de bouche au gros sel (3 c. à c.) dans 1 verre d'eau.

- Buvez comme la veille 1 jus de citron chaud à jeun.
- Pratiquez le brossage de peau à sec, avant la douche, avec une brosse en crin. Cela permet d'ouvrir les pores, d'éliminer les peaux mortes pour stimuler la circulation. Un vrai secret de beauté (pour le visage aussi, avec une brosse plus petite).
- Prenez une douche « écossaise » en commençant par le chaud, juste après le brossage. Enchaînez avec la douche froide en remontant le long des jambes.
- Hydratez votre peau.
- Restez au thé vert, et oubliez votre expresso pour le moment.
- Réduisez votre consommation de cigarettes à zéro (deux pour les « accros »).
- Petit bol de riz complet et légumes cuits ou crus, assaisonnés d'un peu d'huile d'olive. Gardez le brocoli, ajoutez si possible 1 artichaut (excellent pour le foie).
- Pas de viande (idem pour toute la semaine).
- Une portion de poisson gras aujourd'hui, si vous en avez envie.
- Éliminez aussi les produits laitiers pour le reste de la semaine.
- Achetez uniquement du pain de seigle. On oublie le blé (donc le gluten).
- Augmentez votre consommation d'eau. Faites-vous de la tisane de thym ou de romarin. On en trouve de très bonnes en sachet, plus faciles d'utilisation.
- Prenez 10 min le matin et 10 min le soir pour faire une pause. Essayez des exercices de respiration : allongée sur votre lit, yeux fermés, écoutez le silence. Respirez en trois temps — inspiration, apnée, expiration. Posez les mains sur votre ventre, détendez-vous. Il doit rester souple dans l'inspiration et l'expiration.
- Le soir, louez une vieille comédie de votre enfance (*Un poisson nommé Wanda*, toujours efficace).
- Essayez de vous coucher 1 h plus tôt que d'ordinaire.
- Avant de dormir, une dernière tisane de thym. Puis, brossage de dents avec de l'eau oxygénée et/ou du bicarbonate de soude. L'effet blanchissant vous donnera un sourire tout neuf.

- Réitérez le jus de citron tiède à jeun. Idem pour la douche froide sur tout le corps (mais oui, c'est agréable, en fait).
- Plus de cigarettes du tout.
- Faites un exercice de relaxation et de respiration.
- Continuez toujours l'exfoliation et/ou le brossage à sec, et hydratez votre peau.
- Supprimez le riz complet et le pain.
- Prenez 6 portions de légumes et de fruits crus ou cuits. Introduisez 1 portion de poireaux, excellent draineur. Gardez le brocoli.
- Faites-vous plaisir, changez de fruits : poire, grenade, mangue, papaye et la bonne vieille pomme, tous riches en fibres, en vitamines, en saveurs délicates. Un jus de citron vert, une pincée de vanille ou de cannelle : ça change tout.
- Variez l'huile d'assaisonnement. Première pression à froid, bio de préférence. Tournesol, germe de blé, sésame (plus forte en goût), germe de maïs… Elles sont pleines de bon gras, excellentes pour la peau. Une c. à c. suffit pour une portion.
- Mangez de l'ail cru en assaisonnement.
- Freinez les produits laitiers. Buvez du lait de soja enrichi en calcium ou du lait de riz non sucré (plus léger au goût).
- Augmentez la consommation de tisane de thym (un bol en plus).
- Aujourd'hui, nous allons vous faire marcher. Vingt minutes, sans presser le pas, sans urgence. L'idéal est de marcher sans but précis, simplement pour le plaisir. Essayez de vous étirer en marchant, de respirer calmement.
- Oubliez le journal et les informations. À la place, écoutez une musique qui vous est chère. Lisez un bouquin que vous n'avez jamais le temps de lire.
- Au coucher, prenez un bol de thé rouge – *rooïbosh tea* – sans théine, excellent anti-oxydant naturel. Son nom vient d'Afrique du Sud, où il est consommé depuis longtemps comme boisson bienfaisante. On le trouve chez les spécialistes de thé ou en magasin bio.

Si vous avez l'impression d'avoir la tête un peu « cotonneuse », c'est normal : ce sont les toxines qui commencent à « bouger »… Une petite baisse de forme aussi ? Normal. Dans quelques heures, votre corps va s'habituer et se mettre sur un mode de combustion différent, car il se sentira au repos. Votre énergie va augmenter. Patience.

JOUR 4 : soupe magique à volonté

- Aujourd'hui et demain sont les deux jours clefs. Vous n'allez consommer que de la soupe aux légumes, avec un peu d'huile d'olive si vous en avez besoin et envie.
- Au réveil, vous gardez la douche froide, l'exfoliation et l'hydratation.
- Essayez un gommage naturel. Au-dessus du lavabo, frottez doucement votre visage avec 3 c. à s. de sucre en poudre. Simple et efficace.
- Au petit déjeuner, buvez encore 1 jus de citron dans de l'eau chaude à jeun. Pour donner un peu de douceur à ce breakfast, ajoutez du miel.
- N'oubliez pas les huiles variées. Germe de blé, par exemple.
- Consommez la soupe à volonté. Oui, le matin, cela peut paraître bizarre, mais sachez que les Asiatiques boivent tous les jours de la soupe au petit déjeuner et que c'est bien évidemment très nourrissant. C'est pour cela qu'il est utile de planifier la semaine détox à un moment qui convient dans votre vie professionnelle. Si les

Pour 2 l de soupe

- 1 chou vert
- 6 carottes
- 6 oignons de taille moyenne
- 6 petits oignons de printemps
- 2 poivrons rouges ou verts
- 3 tomates
- 5 branches de céleri
- 1/2 tasse de riz complet
- persil frisé et herbes fraîches
- sel et poivre du moulin

Mettre tous les légumes coupés en petits morceaux ou rondelles dans 2 l d'eau froide. Porter à ébullition et laisser bouillir pendant 10 min. Puis couvrir, baisser le feu et prolonger la cuisson jusqu'à ce que les légumes soient bien tendres. Mixer à même la casserole ou passer pendant 2 min au blender. Et voilà ! Pour ce 1er jour, vous mélangez le riz complet à la soupe, dans l'assiette.

deux jours de soupe tombent un week-end, c'est plutôt bien.

· Augmentez de 10 min votre marche à pied.

· Le soir, prenez un bain chaud aux sels de la mer Morte (en vente dans les magasins bio ou en pharmacie). À défaut, un gros paquet de sel de mer et quelques gouttes d'huile essentielle de lavande ou de géranium (décontractant, apaisant).

· Brossez-vous les dents avec l'eau oxygénée et le bicarbonate de soude.

JOUR 5 : deuxième jour de soupe

· Vous gardez le jus de citron chaud et les bonnes habitudes de douche, etc.

· Pour la soupe, la nouveauté du jour, c'est que vous n'y ajoutez pas de riz complet. Vous êtes évidemment libre de mettre de l'ail, des herbes, du piment, du cumin (goût hollandais), de l'origan (saveur italienne), etc.

· Essayez de vous offrir une séance de sauna ou de hammam. Un après-midi pour vous chouchouter. Transpirez, respirez, reposez-vous. Buvez beaucoup d'eau.

· Exercices de respiration et de détente en salle de repos.

· Toujours en salle de repos, essayez de faire le vide et de dormir une demi-heure. C'est toujours utile de savoir faire des siestes express.

· Augmentez votre marche quotidienne de 10 min.

· Prenez un bol de tisane de romarin au miel ou du thé rouge.

· Couchez-vous tôt, en écoutant une musique nouvelle.

Si vous en avez envie, si vous en avez la possibilité, vous pouvez parfaitement continuer un jour de plus en répétant le programme de ce jour 5.

JOUR 6 : on approche du retour à la normale.

· Réintroduisez le riz complet à midi et le soir ainsi que les aliments solides : légumes cuits ou crus (du fenouil, entre autres).

· Mangez des pommes dans la journée.

· Essayez la tisane aux zestes de citron frais et au gingembre râpé + miel.

- Privilégiez les pamplemousses. Deux aujourd'hui, ce serait bien.
- Vous vous sentez pleine d'énergie ? Montez des escaliers dès que vous pouvez.
- Bonne mine ? Joli teint ? Souriez ! Faites quelque chose que vous n'avez pas pu faire depuis longtemps : une chose pour vous et une chose pour les autres. Cela peut être un détail, un petit rien, mais cela fait du bien quand même.
- Faites le point sur ce qui vous a plu durant cette semaine. Voici six jours que vous n'avez pas fumé, pas pris de produits laitiers ou de viande. Votre système digestif et votre colon sont au repos. Comment vous sentez-vous ? Des envies de pâté en croûte ? D'apéro ? De chocolat ? Patience… Tout peut revenir. Ça ne dépend que de vous. Vous ferez vos propres choix le moment venu. Vous avez le temps.
- Pour le plaisir, faites le ménage dans votre garde-robe. Débarrassez-vous de quelques vêtements. Le critère ? Si ça n'a pas été porté depuis 2 ans, *out* ! Vous verrez, ça fait du bien.
- Au coucher, un peu de respiration-relaxation.

C'est devenu une routine que vous garderez peut-être : citron chaud, douche, exfoliation, hydratation, respiration, brocoli, pamplemousse, pain de seigle, brossage de dents, tisane de romarin, thé vert ou rouge, etc.
- Mangez une portion de poisson gras à midi.
- Prenez 2 tranches de pain de seigle.
- Augmentez votre marche de 10 min aujourd'hui.
- Faites une chose euphorisante : bataille de polochon, blagues de potache… Sautez sur les lits, dansez devant la glace, jouez au chat avec vos enfants.
- Prenez un bain chaud et versez-y doucement 1/2 paquet de lait en poudre (écrémé). Vous aurez la peau de Cléopâtre…
- Au coucher, gardez la tisane aux zestes de citron et au gingembre râpé + miel.